五代友厚

蒼海《うみ》を越えた異端児

髙橋直樹

潮文庫

目次

装幀　多田和博
装画　田地川じゅん

五代友厚

蒼海《うみ》を越えた異端児

第一章　風雨の黎明

一

文久三年（一八六三）七月二日早朝、七隻の英国艦隊が、暴風雨の鹿児島湾を威圧して、その全容を現した。

その威容を、沿岸各所の台場に備える薩摩藩士たちよりも先に目の当たりにしたのは、鹿児島城下西方の始良《あいら》沖に碇泊する、三隻の薩摩藩汽船の乗員たちだった。

薩摩藩汽船を率いるのは、天佑《てんゆう》丸（原名イングランド）。その甲板上で雨に濡れながら英国艦隊の動きをうかがっていた武士が、望遠鏡から眼を離してぼやいた。

「こげん望遠鏡じゃ駄目じゃな。海賊ドレイクじゃあるまいし。あの英国艦隊の連中、きっと最新式の双眼鏡を使うちょるぞ」

性能の悪い望遠鏡で船端《ふなばた》を叩き、悠然《ゆうぜん》と腕組みする。その切れ長の鋭い瞳は、荒れる波間から、しだいに顔をのぞかせてきた英国艦隊を、動じることなく見据えていた。

「五代」と呼ぶ声が、彼の隣で響いた。名前を呼ばれた五代才助《さいすけ》が、隣で叫んだ朋輩《ほうばい》を振り返る。ひどく苛立った寺島陶蔵《とうぞう》の顔があった。

「五代、あれが見えんのか」

寺島陶蔵が己れの望遠鏡を指揮棒代わりにふるって、其方《そちら》を示した。もう性能の悪い望遠鏡すら必要のないほど近くまで、英国艦隊が迫ってきていた。旗艦が掲げるユニオン・ジャックが、暴風にはためく響きまで聞こえてきそうだ。

「何をぐずぐずしちょっ。敵はわれらの船を拿捕《だほ》する気だ」

寺島が地団駄《じだんだ》踏むように五代の袖《そで》を引いた。五代の瞳が悪戯《いたずら》っぽく動く。

「なんだ、気付かんかったんか」と五代は言い出した。

「拿捕させるんだよ。そんためにこの姶良沖に碇泊したのだ」

絶句した寺島が二の句を継ぐ前に、五代が制した。

「おいに考えがある。任せておけ、寺島」

白旗をマストに掲げさせた五代が、踵《きびす》を返して「堀」と呼ぶ。呼ばれてやってきたのは、知的で端整な若い男だった。

通詞の堀壮十郎《そうじゅうろう》である。薩摩人とはおよそ雰囲気の違ったこの男と五代とは、長崎で知り合った。

舷側《げんそく》でひしめく水兵たちの顔が見極められるところまで英艦が接近してくると、五代が堀壮十郎に告げた。

「堀、薩摩船団の船長じゃあ五代才助が、英国艦隊提督と会見すったために、此処で待っちょった、と間違いなく伝えてくれ。おはんの英語力が頼みだ」

堀壮十郎はその優男《やさおとこ》ぶりに似合わず、恐れた様子も見せずに、五代の指示に従った。

天佑丸から降ろしたボートで、将旗を掲げる英国旗艦に乗り付けると、無事に役目をはたして戻ってきた。

「あの旗艦はユーリアラス号といいます。旗艦以外の船名についてはいまだ不明。艦隊を率いているのはクーパー提督。英国アジア艦隊の長官です。クーパー提督は薩摩船団長からの会見要求を承諾しました」と五代へ報告した。

「ようやってくれた、堀」

堀の報告を聞いた五代が、勇躍して英国艦へ移ろうとする。その耳元へ堀がささやいた。

「気を付けてください。これは戦争ですから」

「わかっちょるよ」と応じて、五代は三隻の汽船を引き渡す代わりに、乗り組みの船員をみな退避させることを英国方に承諾させた。

寺島陶蔵と堀壮十郎だけを連れて、意気揚々と英国艦隊旗艦ユーリアラス号に乗り込む。ボートからユーリアラス号の甲板に上がるや、ひしめく水兵たちの口笛が、威《い》嚇《かく》するように降り注いできた。五代がニヤリとして返す。

「よかった。降ってきたんが鉄砲玉でのうて」

堀がすかさず通訳すると、水兵たちから笑いさざめく声が起こった。提督の副官と思われる士官が五代たちの前に立ちはだかり、腰の両刀を引き渡すよう要求する。両刀を引き渡した五代が、まじめくさった顔で副官に尋《たず》ねた。

「刀だけでよかとな？」

きょとんとした副官の目の前で、五代は懐からリボルバー（回転式ピストル）を取り出して見せる。驚いた副官へ片目をつぶってみせ、そのピストルも副官へ渡した。

船尾甲板の軍令室へ五代たちを案内した副官が、奥のいちばん豪華な椅子に陣取る提督へ、何事か耳打ちする。耳打ちを聞いた提督が微《かす》かに笑ったのを、五代は見逃さなかった。

クーパー提督は、五十代半ばの威厳に満ちた将軍だった。五代たちをその場に立たせたまま、用件を尋ねてくる。五代が断固着席を要求すると、クーパーはうっかりしていた、とジェスチャーをして見せ、笑みを浮かべて三人に椅子《いす》をすすめた。

五代と堀はすぐに席に着いたが、寺島陶蔵は唖然《あぜん》としてクーパーを見つめたままだった。五代に促されて、ようやく着席する。寺島が驚いたのは、クーパーのジェスチャーだったのだろう。威厳に満ちた身分ある提督が、突然に卑《いや》しい大道芸人のような身振りに豹変《ひょうへん》したと感じたに違いない。

五代は心中で小さく溜息をついた。

――寺島でさえ、西洋人の気質習慣がちっともわかっちょらん。

日本国きっての外国通と目される寺島陶蔵にして、このありさまだった。蘭学《らんがく》の秀才として知られた寺島には、洋行の経験すらあった。二年前、幕府遣欧《けんおう》使節団の一員に加わり、ヨーロッパをその眼で見てきたのだ。

だからこそ――と五代はまなじりを決する。挑むようにクーパーに向き直った。

「提督、おいは薩摩の前途ある若者たちを貴国に留学させたい」

「留学――ですか」

クーパーに聞き返され、五代は力を込めて繰り返した。

「留学でごわす。その目的は西洋の進んだ技術を学ぶことにありもす。じゃっどん西洋の技術を学ぶためには、まず西洋の人を学ばなくてはならん。西洋の人を学ぶためには、一人ひとりが西洋の暮らしに溶け込む留学でなければならん。日本人ばかりで固まって行動する、外交使節団ではだめなのです」

傍《かたわ》らから流れるような堀の通訳の声が聞こえてくる。英国艦隊、薩摩藩砲台、双方の戦闘の火ぶたが今にも切って落とされようとしているときだったが、堀の通訳を聞いたクーパーは穏やかに五代へ尋ねてきた。

「薩摩船団長のおっしゃる通りだと思います。しかし薩摩船団長には、その前途有為《ゆうい》な計画を実現する力があるのですか。薩摩船団長たる五代氏にその力があると分かるまでは、我々も返答を保留せざるを得ません」

「おいにそげな力があることを証明してくれる英国人がいもす」

五代の返答を聞いたクーパーが、不審げに眉をひそめる。

「誰ですか、その人物は」

「提督はトーマス・グラバーをご存知でいもすか」

「知っています。ジャーディン・マセソン商会長崎代理店の経営者ですね」

不審げだったクーパーの表情が晴れ、指をパチンと鳴らして応じた。

「貴方《あなた》だったのか、グラバーのパートナーは。てっきり清国の人だと思っていました。五代さん、貴方はどこで西洋流のビジネスを覚えたのですか」

そう訊かれると、五代も少し返事に困る。ややあってから答えた。

「あえて申し上げるならば琉球でありもす」

二

クーパー提督の指示で五代たちには士官室が与えられ、そこでしばらく休息を取るように伝えられた。

だが今にも双方の大砲が、火を噴こうとしているときだ。士官室で休んでいられるはずもなく、甲板に駆け上がった五代たちは、風雨に煙《けむ》る鹿児島城下をうかがった。

雨も風も、早朝よりさらに強まっている。波飛沫《なみしぶき》水飛沫にずぶ濡れになりつつ甲板から身を乗り出していると、波間に一艘《いっそう》の小舟が忽然《こつぜん》と現れた。波に揺れながらこちらに向かって来ている。

なんだありゃ――と発するより先に、その小舟から、風雨を吹き飛ばすドラ声が轟《とどろ》き渡った。

「スイカはいらんかな」

その声に五代は聞き覚えがあった。望遠鏡で覗けば、案の定そこにいたのは黒田了介《りょうすけ》だ。スイカ売りに化けて、この英国艦を奇襲するつもりらしい。

確かにその小舟にはスイカらしきものが積まれていたが、黒田もその仲間たちも、みな殺気で眼が血走っている。

「こげん嵐にもめげずにお出ましとは、なんと商売熱心なスイカ売りだ」

望遠鏡から眼を離した五代が、素早く甲板上の兵員配備を探る。すでにエンフィールド銃を構えた水兵たちが、甲板の陰で銃口を揃えていた。

双方の交渉期間中、鹿児島湾に物売り舟が行き交っていたのは確かだが、この前日、薩摩側は生麦《なまむぎ》事件における英国側の賠償請求を拒絶し、双方は戦闘状態に入っている。

にもかかわらずこんな策を弄《ろう》してくるとは――。

「まるで『太平記』か『甲陽軍鑑《こうようぐんかん》』の世界だ」

五代がうんざりした面持ちに変わる。いまだに『太平記』や『甲陽軍鑑』の世界から抜け出せないでいる連中ばかりだから、倭寇《わこう》まがいの斬り込みを本気で仕掛けてくるのだ。

——こげな時代錯誤《さくご》な策を了介に授けたのは海江田《かいえだ》（信義《のぶよし》）あたりか。

腹立たしいかぎりだが、五代はこんな馬鹿げた斬り込みで、子供のころから面倒を見てきた黒田了介を犬死させたくなかった。

黒田了介に率いられた小舟が、五代の乗ったユーリアラス号から百メートルほどの距離を置いて止まった。英艦の様子を探るつもりらしい。甲板に身を潜めた水兵たちが、黒田の小舟にエンフィールド銃の狙いを定めた。

いかん、と五代の唇から洩《も》れた。

——了介はエンフィールド銃の射程を知らん。

だから百メートルの距離を置けば、敵の射撃を避けられると思っているのだ。

いまだ黒田たちは、小舟でスイカ売りの振りをしている。呑気なものだ、と五代は舌打ちする。エンフィールド銃ならば、やすやす相手の眉間《みけん》を撃ち抜ける距離だというのに。

五代は自分が此処にいることを了介に知らせるため、さらに甲板から身を乗り出して黒田たちの小舟に向かって望遠鏡を振って見せた。

両者の間には百メートル余の距離があるうえ、暴風雨のため視界は不良だった。

五代は望遠鏡を振りながら、心で祈った。

――気づけ、了介。気づくんだ。

必死に眼を凝らした五代の視界で、風雨に霞《かす》んだ了介の動きが、明らかに変わった。

驚いたようにこちらを見つめ、その姿を確認しようとするように了介も眼を凝《こ》らしてきた。

ユーリアラス号にいるのが、五代才助だと分かったらしい。五代の動きを見た了介が、スイカ売りの振りをやめた。率いていた藩士たちへ何事か告げ、小舟を回れ右させて引き返していく。

五代は安堵《あんど》の息をついた。

――了介は子供のころから勘のいい奴じゃった。

もし猪突猛進《ちよとつもうしん》しか能のない者だったなら、敵艦の捕虜《ほりよ》になった五代を卑怯者だと逆上し、薩摩武士の意地を見せてやると右も左もわきまえずに攻めかかって、全員エンフィールド銃の餌食《えじき》になっていただろう。

ユーリアラス号のボイラーがうなって、煙突から黒煙が上がった。五代が空を見上げる。桜島も目視できないほどの薄暗さだが、すでに正午頃だろうか。

ついに英国艦隊が動き出したのだ。七隻の英国艦隊が、旗艦ユーリアラス号を先頭に、単縦陣《たんじゅうじん》で鹿児島城下へ迫っていく。前之浜《まえのはま》まで百メートルの沖合を航行しだした。

さすがの五代も少し驚く。薩摩砲台に接近しすぎていた。待ち構えていたように、薩摩砲台が火を噴いた。

「第七砲台だ」

五代が甲板上から確認する。第八砲台もこれに続いた。

当然の砲撃であるはずだが、ユーリアラス号の軍令室から聞こえてきたのは、びっくりしたような士官たちの声だった。

「おや、撃ってきたぞ」と言い合っている。グラバーのビジネスパートナーである五代には、それくらいの英語はわかった。

ずいぶん薩摩砲台をなめた言い草だったが、これは英国側の情報収集力が逆にあだになった恰好《かっこう》だ。かつてペリー艦隊が浦賀《うらが》沖に進行した時、幕府の浦賀砲台は沈黙したままだった。あの時は戦争ではなかったが、欧米列強の情報力は、すでに浦賀砲台の実力を見切っていたのだ。砲弾がたった十六発しかないことも、予算不足で実弾演習すらしたことがないことも。

幕府ですらそんな体《てい》たらくだから、薩摩藩ごときに何程のことができようか——その英国側の予想を裏切って、薩摩砲台は猛然《もうぜん》と火を噴いてきた。

いまだ英国艦隊の反撃は始まらない。艦隊全体が慌てふためいているように見えた。上部甲板にいる五代たちの所へ、クーパー提督の副官が駆けつけてくる。すぐに後部甲板の軍令室まで来るように、と提督の命令を伝えてきた。

軍令室に駆けつけた五代へ、クーパー提督が厳然《げんぜん》と告げた。

「申し訳ないが薩摩船団長の汽船三隻、すべて破壊させていただく」

三隻とも苦心して五代が購入した船だ。国法（鎖国）を犯《おか》し命がけで上海に密航して、ようやく手に入れた船もあった。

しかし五代は顔色ひとつ変えずに答えた。「あの三隻はすでに提督の支配下にありもす」と。

五代が率いていた三隻に仕掛けられた爆薬が猛火となって燃え上がったとき、ユーリアラス号の後部甲板に第七砲台が発射したとみられる砲弾が落下してきた。そのまま軍令室まで転がり込んでくる。いまだ軍令室に居合わせた五代が、大声で皆に注意を喚起《かんき》した。

「爆発するぞ」

ところが軍令室の士官たちは平然としている。転がり込んできた砲弾を指さして笑っているではないか。一人の士官がその砲弾を足で蹴りだそうとしたのを見て、五代は咄嗟《とっさ》にクーパー提督の襟首《えりくび》をつかんだ。クーパーが五代の手を振りほどこうとするのも構わず、その大きな体を椅子から引きずりおろす。クーパーを床板に伏せさせると同時に爆音が轟いた。じんじん痺《しび》れる耳を押さえた五代が、ようやく静かになった軍令室を見回す。薄れ始めた白煙の中に、榴弾《りゅうだん》の破片に切り裂かれた士官たちの死体が散らばっていた。

床板に押し付けられていたクーパー提督が、むっくりと起き上がり、五代の後に続いて軍令室を見回す。提督椅子の真後ろの壁に、包丁のような榴弾の破片が、深々と突き刺さっていた。

軍服の埃《ほこり》を払ったクーパーが、五代の手を強く握りしめて言った。

「貴方は命の恩人です」

この爆発でユーリアラス号は艦長のジョスリングも戦死する。英国艦隊の眼の色が変わった。七隻の戦艦で砲口が開き、猛烈な反撃が開始された。英国側に大きな損害を与えた第七及び第八砲台に集中砲火が浴びせられた。

両砲台はたちまち沈黙する。備砲のほとんどが破壊されてしまったようだ。

だが英国側の予想に反して、他の薩摩砲台は、なおも砲撃をやめない。英国艦隊に負けじと撃ち返してきた。

薩摩方の砲撃は意外にも相当に正確で、英国側の軍艦に次々と命中した。英国艦の一隻でマストがへし折られ、別の一隻は操舵《そうだ》の自由を失って蛇行《だこう》し始める。

その様子を瞬《まばた》きもせずに見つめていた五代は、英国士官の誰かが吐き捨てるのを聞いた。

「奴らが実弾演習もしたことがないなんて誰が言ったんだ」

英国艦隊が旗艦ユーリアラス号を先頭に、沖合へと後退を始める。これを見た薩摩方から歓声が上がった。

英国艦隊が退却すると勘違いしたのだ。

もし五代がこの薩摩方の反応を知ったなら「甘い」と一喝《いっかつ》するだろうか、それとも何も言わずに冷笑するだろうか。

旗艦艦長戦死のため、クーパー提督がユーリアラス号の指揮も兼ねて、艦隊を沖合へと移動させていく。艦隊の戦列は少しも崩れていなかったが、英国海軍のことなど何も知らぬ大半の藩士たちは、夷狄《いてき》を打ち払ったと小躍りしていた。

だんだん小さくなっていった英国艦隊が、沖合二キロメートル余まで後退したところで、突然に止まる。悪天候のため、その様子は沿岸からでは、定かにはうかがえなかった。薩摩方が「夷狄ども、まだおるのかおらんのか」などと首を傾げ合っているところへ、雷のような砲声が襲い掛かってきた。大地が揺れた気がして背後を振り返ったところ、そこにあったはずの火の見櫓《やぐら》が跡形もなく吹き飛ばされていた。

薄暗い天に次々と砲声がこだまして、鹿児島の城下町は見る見るうちに、その全容を変形させるほどに破壊されていった。

いったんは頭を抱えてひれ伏した薩摩方だが、すぐに怒りに燃える眼ざしで、沖合に霞《かす》む英国艦隊を睨《にら》み据えた。歯を食いしばって、敵の艦砲射撃に揺れる前之浜一帯に踏みとどまり、すぐさま反撃に出た。

いまだ第七第八砲台以外は無事だ。薩摩は砲弾も火薬も蓄《たくわ》えは十分である。今度も負けじと撃ち返した。

薩摩砲台の砲声は、沖合の旗艦ユーリアラス号にいる五代の耳にも聞こえてきた。だが音だけである。薩摩砲の射程は一キロメートルほどで、此処までは全く届かなかった。

また英国艦の砲門からアームストロング砲が火を噴き、風を切り裂いて飛んでいったかと思うと、風雨に霞む鹿児島城下で火柱が上がった。

砲撃に切り裂かれた風が、凄い勢いで五代の頬をかすめ飛んでいく。

破壊されていく鹿児島城下を身じろぎもせずに見つめている五代の隣で、寺島陶蔵がこぶしを震わせていた。その二人の間に割って入ってきたのはクーパー提督である。指を鳴らして通詞の堀壮十郎を呼び寄せる。

クーパーはすぐには用件を言わずに、じっと鹿児島城下の方を見やった。わざとらしく双眼鏡に眼を当ててから、当惑したように五代へ言った。

「悪天候のせいで集成館《しゅうせいかん》の場所を把握できません。教えてくれますか、ミスター五代」

堀壮十郎の通訳する声が小さくなった。五代の傍らで、寺島陶蔵が顔色を変える。クーパーは薩摩工業の心臓とも言うべき集成館を砲撃するつもりなのだ。

それでもクーパーは親しげな態度を崩さない。その灰色の瞳を覗《のぞ》き込んでみても、あけっぴろげで隠し事など一つも見えなかった。

だが彼らを相手に表情を探ってみても無駄なことを、五代は知っていた。その親しげな笑顔は、一瞬のうちに悪鬼のような形相に変わるのだ。

五代は少しもあいまいな言い方をせず、はっきりと伝えた。

「わかりもした、提督」

驚いた寺島が、五代を遮《さえぎ》ろうとする。

「集成館は斉彬《なりあきら》公以来、我らが心血を注いで育んできた薩摩の魂ではなかとか。それを敵に売り渡すなど――」

だが五代は遮ろうとする寺島を押しのけて、ユーリアラス号の甲板から身を乗り出した。風雨に閉ざされた一画を迷わず指し示す。

「あすこです」

笑顔のままクーパーが軍令室へと帰っていく。寺島が五代の胸ぐらをつかむ。五代は平然と応じた。

「寺島、クーパーが本当に集成館の位置を知らんとでも思ったんか」

寺島が五代の胸ぐらから手を離す。船端を殴りつけた寺島へ五代は続けた。

「集成館をそのままにしてはクーパーの面子《めんつ》が立たんのだ。いいじゃないか、また建て直せば。今度は煉瓦《れんが》造りの工場を建てよう。本場の英国にも負けん工場を」

その頃、薩摩方も英艦の狙いが集成館であることに気づいていた。前之浜で指揮を執っていた海江田信義が、部下を率いて駆けつけようとする。息を切らして走りながら怒鳴った。

「五代の奴が集成館の位置を夷狄に教えたに違いない」

すでに薩摩方にも、五代たちが英国側の捕虜になったことが知られていた。

「おめおめと夷狄の捕虜になったうえに、薩摩の魂である集成館の位置まで白状すっとは、武士の風上にもおけん。次に奴の顔を見ることがあったならば、そん時が奴の最期だ。必ず叩き斬ってやる」

ようやく集成館までたどり着いてみると、工場の前庭にあたる砂浜で、着弾による土砂の噴水が、轟音を響かせ空を暗くして舞い上がっていた。すでに薩摩藩自慢の反射炉も、首をもがれたように上半分が破壊されている。

その場に留まっていては、降り注いでくる砲弾の餌食になりそうだったが、海江田は構わず集成館のうちへ踏み込んでいった。恐れて付いてこようとしない部下を叱りつけて館内に入ったところ、どうも様子がおかしい。

一人の職人もいなかった。首を傾げていると、部下の一人が駆けつけて教えた。

「みな裏山に避難しておりもす」

えらく手回しがいいな、と裏山に入ってみたところ、驚いたことに高価な機械もすべて裏山の洞窟《どうくつ》に避難させてあった。

「誰に命じられたんじゃ」と尋ねた海江田へ、職人たちが声を揃えて答えた。

「五代様のお指図でございもす」

すると海江田は先程の倍の勢いで怒り出した。

「奴は初めから夷狄に通じていたんじゃ。国を売るとは間諜《かんちょう》の中でも最低の裏切り者だ。そういえばあの間諜野郎、当家の汽船購入に際して、グラバーとかいう異人と示し合わせて莫大な手数料を取ったと聞く。いや、それのみならず、わが神国の大和《やまと》撫子《なでしこ》と穢《けが》れた異人グラバーとの仲を取り持って、女衒《ぜげん》まがいのことまでやったというではなかとか」

海江田が集成館で悲憤慷慨《ひふんこうがい》しているとき、沖合のユーリアラス号で、五代はクーパー提督と向き合っていた。

「提督、その作戦には賛成できません」

風雨に負けぬ五代の声音が、凛々《りんりん》と響いている。五代の一歩も引かぬ態度を見て、クーパーも口調を変える。

「理由を伺いましょう。ミスター五代」

五代は答える代わりに、ユーリアラス号に乗船するにあたって、提督の副官に預けた佩刀《はいとう》を所望した。その意図を測りかねたのか、クーパーたちは聞こえぬふりをしている。

ユーリアラス号の甲板には、すでに銃剣を装塡《そうてん》し終えた陸戦隊の兵士たちが出撃態勢で集合していた。ちらと彼らを一瞥した五代が、今一度クーパーに要求する。

「おいの佩刀を」

今度は堀の通訳を通さず、有無を言わさぬ口調で要求した。聞こえぬ振りもできず苦笑したクーパーが、副官に言いつけて五代の佩刀を持ってこさせる。

副官から佩刀を受け取るや、五代が陸戦隊の兵士たちの面前で、三尺余の佩刀を抜き放って見せた。陸戦隊の兵士たちから、低いどよめきが湧く。

どういうつもりだ――と聞かれる前に、五代は声高らかに言い放った。

「おいは諸君たちを犬死させとうなか」

再び陸戦隊の兵士たちがどよめく。殺気に満ちた眼ざしが五代に集まる。五代が平然と告げた。

「諸君はこの五代才助の敵ではなか」

さらに陸戦隊の兵士たちの殺気が高まる。それでも五代はにこやかに彼らの前で、自慢の佩刀を素振りして見せた。

「嘘《うそ》だと思うなら、誰かおいと勝負してみ」

陸戦隊の銃剣が群れとなって五代に向けられる。まるで稲穂《いなほ》でも眺めるように、その銃剣の群れを見やった五代が、だめを押すように呼ばわった。

「おいの方は手出しせん。其方《そっち》が打ち掛かってくるのを、この刀で払うだけだ」

陸戦隊の兵士たちから口笛が吹き鳴らされる。非難の口笛だ。

一人の若い兵士が進み出てきて、銃剣を装塡した銃を構える。他の兵士たちがひしめき合ってこれを取り巻く。

有無を言わさぬ銃剣突撃が五代を襲う。突然に目の前で火花が散った。突撃してきた兵士が尻餅《しりもち》をついてひっくり返る。ガッデムと唾を吐いた兵士が武器を握りなおそうとして、きょとんとした顔になった。銃剣が半ばから断ち切られていたのだ。

悪魔にでも触ったように、その兵士が首を取られた武器を放り出した。これを見た他の陸戦隊の兵士たちが、度を失ったように騒ぎ出す。新たに二人の兵士が、血相を変えて飛び出してきた。左右から銃剣の切っ先を揃えて、同時に五代を突き刺そうとする。

一閃、二閃。火花が散って、計ったように二人の兵士の銃剣も断ち切られていた。またもや兵士たちからどよめきが湧く。今度は畏怖《いふ》のどよめきだ。もはや誰も五代に銃剣を向けようとはしなかった。恐れに満ちた眼ざしで、ただ五代を見つめる。

一部始終を見届けたクーパー提督が、五代の前に進み出てくる。敬意を籠《こ》めて告げた。

「正しかったのはミスター五代、貴方のほうだ。この作戦は撤回します」

艦砲射撃で鹿児島城下に大打撃を与えたクーパーは、勝利を決定づけるべく陸戦隊の上陸を図っていたのだ。

佩刀を鞘《さや》に納めた五代が、汗ひとつかいていない顔でクーパーに言った。

「薩摩は大砲はダメだが、剣ならば貴国よりもちっと強い」

「少しじゃない」と首を振ったクーパーが、両手を精いっぱいに広げて「これくらいだ」とジェスチャーしてみせた。

三

体を張って英国陸戦隊の上陸を止めた五代のもとに、堀壮十郎が駆け寄ってくる。英国側に気づかれぬように、そっと取り出したのは包帯だった。堀の眼を見た五代が、黙って袖に隠された二の腕を差し出す。堀がその袖をめくりあげてみると、銃剣に抉《えぐ》られた一文字の傷が現れた。包帯を巻こうとした堀が、その傷の深さに眼をみはる。

「一歩間違えていれば命がないところでした」

銃剣創に包帯を巻く堀はそれ以上何も言わなかったが、彼の気持ちがわからぬ五代ではなかった。なだめるようにその肩を叩いて言った。

「おはん、おいがつまらんことに命を懸けたと思とうのか。じゃっどん堀、そいは違うぞ。ここで命を懸けて見せなければ、クーパーはおいを信じてはくれんかった。ただの調子のいいグラバーの相棒としか見てくれんかった。そいでは薩摩は英国と五分の付き合いはでけん。薩摩から留学生を送っても、敬意を持って受け入れてはくれん」

五代の眼ざしが風雨に霞む鹿児島城下を望む。薄暗く閉ざされた視界のなかで、炎上する町が影絵のように浮かび上がっていた。ユーリアラス号の煙突から黒煙が上がり、英国艦隊は航行不能な一隻を曳航《えいこう》しつつ戦場から遠ざかっていった。

英国艦隊が横浜に帰港すると、クーパーが五代の手を握り締めて告げた。

「留学生のことはわたしのほうからも本国へ伝えておきます。あなたのような方がいる薩摩からの留学生ならば、我が国も大歓迎することでしょう」

五代もクーパーの手を握り返す。未来の薩英友好の礎《いしずえ》は此処に築かれたのだ――が、しかし、それはあくまで未来の話だ。

クーパーの表情が急に曇《くも》る。首を横に振って見せると、五代もその真似をした。未来はともかくとして、いま五代は大変に困った状態に置かれていた。

五代たちは薩英戦争で英国の捕虜になっている。このことは内外の尊王攘夷《そんのうじょうい》派を憤慨させていた。五代たちは「生きて虜囚《りょしゅう》の辱《はずかし》めを受けた腰抜け」扱いされただけでなく、薩摩を裏切って英国に通じたスパイ扱いまでされていた。しかも幕府の意に反して英国と戦争をした薩摩の藩士であるため、幕府からもその行方《ゆくえ》を追われていた。

「提督、案じるには及びません。こげな困難を切り抜けられんで、英国と薩摩の架け橋になど、どうしてなれましょうか」

そう五代は豪快に笑い飛ばしてみせたが、クーパー提督は副官に言いつけて、五代にも寺島にも、逃走資金として五十両ずつを、日本の小判で手渡した。そのうえで五代たちの横浜上陸を日本側に知られぬよう、横浜の英国領事に手引きさせる。

五代と寺島はこうして江戸に潜入した。途中、五代は堀壮十郎を長崎へ帰した。薩摩藩士ではない堀が五代と行動を共にしたことは知られておらず、彼には身の危険がなかったからだ。別れ際に五代は堀に伝えた。

「おはんは長崎でおいからの連絡を待っていてくれ。近いうちに必ず薩摩の藩論は変わる」

五代は未来に確信を抱いていた。しかしその未来を無事に迎えるためには、今の差し迫った困難を切り抜けなければならない。江戸に入った五代は、まず寺島に頼んだ。

「松本良順《りょうじゅん》をひそかに呼び出してくれんか」

松本良順は蘭方医として、また幕府の典医《てんい》として知られた幕臣である。その松本良順と寺島陶蔵とは、ともに長崎で蘭方を学んだ仲だった。同じく長崎の海軍伝習所にいた五代も、松本良順と面識がある。

だが寺島はいい顔をしなかった。

「確かに松本良順とおいは仲が良かった。じゃっどん松本においたちの潜伏を手引きする力があるとは思えん」

「わかっちょるよ。だが松本良順はおはんを裏切りはせんじゃろ。そいで充分だ」

しいて五代に頼まれた寺島は、しぶしぶ松本良順と連絡を取った。蒼《あお》ざめてやってきた松本は、確かに幕府と尊攘派の双方から追われている二人と関わる度胸《どきょう》はなさそうだったが、五代は松本の青白い顔を見ると、救い主にでも会ったかのようにその手を取った。

「ありがたい、松本さん、よう来てくれもした」

その手を振りほどきたいが、それもできぬ松本へ、五代はこう切り出した。

「松本さん、斎藤辰吉《たつきち》ちゅう男を探してほしい。この者、幕臣なのでごわす。おそらく勘定所におるはずだが、今のおいたちではおおっぴらに訪ねることもでけん。幕臣のあなたならば、さして難しいことではあるまい。松本さん、この頼みを聞いてくれたなら、それ以上の面倒はかけん」

五代の依頼を断る勇気もない松本良順は、やむなくその斎藤辰吉なる幕臣を探し当てて、ひそかに連絡を取った。

その斎藤辰吉なる幕臣からの指示に従って、五代と寺島は薩摩風の髷《まげ》と衣装を改めて、指示された落合場所に向かう。途中、寺島が小声で五代に尋ねた。

「何者なのだ、そん斎藤辰吉」

声がささやくように小さいのは、往来の人々に薩摩なまりを聞かれぬためだ。

「天下のお尋ね者になったおいたちに、隠れ場所を見つけてくれる男さ」

五代もまた声を押し殺した。

指示された場所についてみると、そこはうなぎ屋だった。五代と寺島が入っていくと、店の女中が変な顔をして二人を迎えた。奥に通された二人を待っていたのは、背の高さが目立つ好男子だった。斎藤辰吉である。歳は五代と同じく三十を超えたくらいだろうか。

大の男が三人、座敷に揃うと、案内の女中はますます変な顔をした。二人を待っていた斎藤辰吉が、女中が姿を消したとたんに、くすくすと笑いだす。

「こんな妙な客は、あの女中も初めてだろうよ」

五代はきょとんとした顔だったが、江戸にいたことがある寺島には、斎藤の言う意味が分かった。

当時、江戸のうなぎ屋の多くはラブホテルの代わりだったのである。うなぎは焼きあがるまでに小一時間かかるため、客としてやってきた男女はその間ずっと二人きりでいられるのだ。

女中の去ったあとを睨んだ寺島が、やきもきした様子で斎藤に尋ねる。

「こん場所、かえって目立つのではなかですか」

「ご安心ください。うなぎ屋ほど口の堅い輩《やから》はいませんよ。しゃべったなら商売上がったりですから」

斎藤の態度には幕府の役人にありがちな横柄さはなく、いかにもそつがない感じは、むしろ大商家の総代を思わせた。

寺島が盗み見るように、五代才助と斎藤辰吉を交互にうかがった。この二人がただの知り合いでないことは明らかだが、五代の口から斎藤の名が出たことは、一度もなかったはずだ。

寺島の不審を察した五代が「去年、上海へ渡航したときに一緒だった」と告げた。寺島は次の言葉を待ったが、五代はそれ以上に語ろうとはしない。代わりに隣から斎藤が愛想よく告げた。

「わたしは勘定所におりますが、当家は代々の関東代官だったのですよ」

斎藤が語ったのは、彼が五代と寺島の隠れ場所を探せる理由の方だった。

じつは江戸を除く関東地方は、追手の眼をくらまして隠れるには、うってつけの場所だった。関東諸国には旗本領が大変に多い。身代の小さい旗本には自前の警察力がなく、治安維持はほとんど地元の名主《なぬし》に委《ゆだ》ねられていた。

「江戸には公儀《こうぎ》（幕府）の眼が光っていますが、一歩府外に出てしまえば、長脇差《ながわきざし》たちが大手を振って横行していますよ。そもそも彼らを取り締まる役目を仰せつかった名主の多くが、長脇差たちの親分なのですから」

五代と寺島は斎藤辰吉の手引きで、武蔵国熊谷《くまがや》の吉田家に潜伏した。関東代官と同地方の名主との関係は深い。関東代官は名主たちの違法行為に眼をつぶる代わりに、年貢《ねんぐ》を間違いなく納めさせていた。互いに持ちつ持たれつの関係だ。一蓮托生《いちれんたくしょう》と言ってもいい。互いに弱みを握り合っているのだから、もし裏切れば、自分のほうも不正をばらされて破滅してしまうのだ。

薩摩とは縁もゆかりもない北関東に潜伏した五代と寺島の行方を、幕府も尊王攘夷派も突き止めることはできなかった。だが五代には、いつまでもモグラのように隠れている気はない。熊谷に潜伏しながらも、さかんに長崎との遣《や》り取りを行っていた。横浜の英国領事館を通せば、長崎のグラバーや堀壮十郎からの情報入手はさして難しくない。

そして薩摩の藩論が変わりつつあるとの情報を聞くや、即座に潜伏地の熊谷を脱して長崎に向かうことを決めた。寺島は時期尚早であると止めたが、五代は聞かなかった。

――この機を逃してなるものか。何としても動きかけた藩論を、開国そして留学生派遣にもっていかなければならん。長崎まで行けばおいの意見を薩摩に発信する道はいくらもある。しかし、こげなところに隠れとっては、藩論を導くこともでけんではないか。

薩摩藩士が常駐する長崎ならば、五代の意見を薩摩に伝えるのも容易だ。しかしその分、危険も増す。いまだに五代の命を狙っている者も少なくなかった。

翌年（文久四年）の一月、五代は熊谷の潜伏地を出て長崎へと向かう。時期尚早を主張する寺島は関東に残ったが、代わりに潜伏先の吉田家の養子、吉田二郎が五代に同行した。五代の人柄に魅かれた二郎が、自発的に同行を申し出たという。

やむにやまれず潜伏地から飛び出した五代と二郎だが、いまだ外の空気は冷たかった。江戸を避ける用心をしたにもかかわらず、途中の宿場で何度もひやりとする目に遭った。そのたびに「自重せよ」と口を酸っぱくした寺島の忠告が頭をよぎる。

五代と吉田二郎は首をすくめるように西への旅路を急いだが、とうとう箱根の山中で覆面《ふくめん》姿の一団に包囲されてしまった。五代たちは狙われる心当たりがない、人違いではないか、という顔をして通り過ぎようとしたが、覆面の一団はあざ笑うように二人の行く手を遮ってきた。先頭の男が腰の刀に手をかけながら五代へ発した。

「夷狄に通じて皇国《こうこく》を売った薩摩の芋侍《いもざむらい》がいたと聞き、天誅《てんちゅう》を加えるべく此処で待っ

えた。
殺す、と告げた男が腰の刀を抜き放とうとする、その機先を制するように五代が吠
てぉった」
「ふー、あー、ゆー！」
先頭の刺客《しかく》があっけにとられたように、腰の刀から手を離す。覆面姿の一団もびっ
くりしたように顔を見合わせた。
啞然としている一団へ、五代が畳《たた》みかける。
「ふぁっつ、ゆあ、ねーむ！」
此処ですかさず吉田二郎が続けた。
「この方は清《しん》国の人、ルー・ミン・スー氏だ」
咄嗟の判断で五代を助ける。その日、五代が防寒具として着ていたのが、襟のある
長衣で、彼が上海に密航したときに買ったものだった。中国風の衣装は日本人にも馴《な》
染《じ》みがあった。
覆面姿の一団が先頭の男を中心に、額を集めてひそひそと話し始めた。五代は彼ら
から眼をそらさず、わざと怒ったような顔をして通り過ぎていく。二郎も五代に倣《なら》っ

て通り過ぎていった。

もう一団が追ってこられぬ所まで来てから、初めて五代が安堵の溜息をつく。二郎も額の冷や汗をぬぐった。かすれ声で五代に尋ねた。

「なんですか、『ふーあーゆー』っていうのは」

「英語だよ」

くすくす笑いながら五代は答えた。清国（中国）の「ルー・ミン・スー氏」が英語で啖呵《たんか》を切るなど見当違いも甚《はなは》だしいが、これもまた五代の機転だった。

「あの先頭の刺客、おいの名前を知らんかった。『薩摩の芋侍』と言うてきた。じゃっで薩摩なまりを聞かせるのだけはまずい、と思ったのだ」

「なるほど。奴ら、尊王攘夷派の浪士とみて間違いはありますまい。尊攘派に英語などわかってたまるもんですか」

ちょうど、来日する清国人が急速に増えていた頃だった。横浜開港によって諸外国との貿易が始まったが、互いに言葉が全く通じず、商談もできなかった。そのため欧米語がわかる清国人が来日し、欧米人と日本人との間に立って商談を行っていたのだ。日本と清国の間もしゃべる言葉は通じないが、ともに漢字を使う国なので筆談ならばできた。つまり欧米人の話した内容を漢字で日本人に示して仲介をしていたのである。

覆面姿の刺客たちは、五代が着ていた詰襟の長衣を見て、二郎の「ルー・ミン・スー氏」を信じたのだろうが、そのまま引き下がった尊攘派の反応は、よくよく考えてみればずいぶん矛盾している。彼らが天誅を加えるべき相手は、欧米人とこれに加担する輩《やから》のはずだが、なぜか横浜で貿易に従事している清国人は標的にはならなかったのだ。

「なぜなのですか」

二郎に問われた五代が、苦々しげに答えた。

「『ルー・ミン・スー氏』は洋服――を着ちょらんかったからだ。フロックコートとかシルクハットとかの洋服だ。尊攘派の連中は、そこでしか敵味方の区別がでけん」

西へ急ぐ五代の足取りが早まった。

――尊攘派、佐幕派などと角突き合わせとる場合か。

その五代の背中で、思い出したような二郎の声が聞こえた。

「先生、お気づきになられましたか。先頭に立って先生を斬ろうとした、あの刺客のなまり」

「薩摩ではなか」

そう五代が応じると、二郎は断言した。

「あれはおれと同じ北関東の奴ですよ」

四

箱根山中を抜けた五代が、三島の宿に立ち寄ると言い出した。

「あそこには公儀の目明しが、うようよしていますよ」

二郎が渋い顔になったところ、「待ち人ありさ」と五代は応じる。だがその言い方が二郎に誤解をさせたと気づき、ニヤリとして付け加えた。

「待ち人、は若い女なんかじゃなかぞ」

五代がそっと裏口から入った宿屋で彼を真っ先に迎えたのは、濃い煙草《たばこ》の煙だった。その匂いを知って、五代は「相変わらずだな」とつぶやく。「待ち人」の愛飲していた指宿《いぶすき》煙草の匂いだ。「待ち人」の部屋の襖《ふすま》を開くと、紫煙《しえん》の立ちこめるその奥で、煙管《キセル》の先が蛍の尻のように光ったのが見えた。紫煙の向こうから、冷やかすような声が聞こえてくる。

「五代君、命乞いに来たのか」

煙管の残り滓《かす》を煙草盆で叩き落として五代と向き合ったのは、すでに薩摩藩の首脳に台頭していた大久保一蔵《いちぞう》（利通《としみち》）だった。自分の煙管を懐から取り出した五代が、大久保に火を借りながら応じる。

「これはご挨拶《あいさつ》だ。薩摩と大久保さんの危機を救うべく、こうして身の危険も顧みずに訪ねてきもしたのに」

「天下に身の置き所もないおはんが、ようも抜かしたもんじゃ」

そう大久保はまぜっかえしたが、五代の眼が少しも屈していないのを見て、少し安心したようだ。

五代の言った「薩摩と大久保の危機」とは、薩英戦争後の賠償問題である。

「二万五千ポンドを要求されとる、と聞いとりもす」

藩内にも英国が要求してきた金額を知る者は少ない。大久保は苦笑したが、あえてグラバーの名前は出さなかった。

「大久保さん、英国との賠償会談は必ず横浜か品川でやってください。間違えても大坂でやってはいけません」

押し出しの強い、相手に命令するような口調は相変わらずである。大久保は聞き耳を立てて、五代に続きを促した。

「二万五千ポンドは、およそ六万両になりもす。払おうにも江戸の薩摩藩邸に、そげな大金はありません。公儀から拝借するしかない。じゃっどん大坂の蔵屋敷には、米や砂糖などの現物まで含めて、相当な額があるから、その分をすべて吐き出さなければならなくなってしまいもす」

「公儀に借りておいて、あとは踏み倒せ、っちゅうことか」

にこりともせずに大久保が質《ただ》す。

しかし五代は力強く言い切った。

「いま、六万両を有効に使えるのは幕府ではなく薩摩でごわす。薩摩ならば六万両あれば、良い汽船を一隻買うことができもす。じゃっどん幕府が同じ汽船を買おうとしたなら、その倍の金がかかりもすぞ」

もしかしたなら、と大久保は内心でうなる。

――薩摩で誰よりも早くに幕府を見切ったのは、この男かもしれん。

薩英戦争のとき、みずから捕虜となって英艦に乗り込んでいった五代の後ろ姿が、はっきりと思い浮かんだ気がした。

「おはんの念願であった英国留学生の件、成就するようにおいからも働きかけてみる」

薩英の賠償交渉が成立したのち、帰国した大久保一蔵は家老の小松帯刀《たてわき》を説いて、藩論を薩英親善へと導いていった。小松を動かせば、彼を最も信任する島津久光《ひさみつ》も動かすことができるのだ。

薩英戦争によって英国の実力を思い知らされた薩摩では、すでに攘夷派が影を潜めつつあった。大久保はもちろん、小松帯刀も五代の示した先見の明を評価し始めていたのだから、藩論が富国強兵を目的とした開国へと動くのに、さほどの時間はかからなかった。

藩論の転換は、無事に長崎に入った五代にとっても吉報である。だが別の心配も生まれてきた。英国を甘く見る兆しが表れてきたからである。英国に限らず欧米人は、たとえ高官であっても、親しげな態度で相手に振る舞うが、日本人はこれを人物の軽々しさと判断してしまう。ヘラヘラした奴らだ、などと侮っては、あとでとんでもないしっぺ返しを食らうことを忘れがちだ。

——アヘン戦争を思い出せ、アロー号事件を忘れるな。

と言ってみたところで、実感に乏《とぼ》しいのだから、心に響くはずもない。だからこそ薩摩の若者を英国に留学させなければならなかった。英国の偉大さも醜《みにく》さも、そこで暮らす留学でなければ実感できないはずだ。

翌年（慶応元年・一八六五年）の早々に英国留学生の派遣が正式に決定し、薩摩の藩庁から長崎の五代のもとへ、正式な五代赦免《しやめん》の使者が送られてきた。

当時、グラバーゆかりの商家を転々として居所を変えていた五代は、来客があった際、必ず堀壮十郎が先に面会することになっていた。その堀が五代のもとへ、すっ飛んできて知らせた。

「とんでもないのが薩摩の使者としてやって来ました」

だが相手は薩摩藩の正式な使者である。五代がきちんと袴《はかま》を付けて対面の場に出ると、そこに待っていたのはあの海江田信義だった。田中新兵衛、中村半次郎と並ぶ薩摩の人斬りと恐れられた海江田信義が、自慢の剛刀を引き寄せて五代の目の前にいた。

五代も海江田も一年半前、鹿児島湾に轟き渡った砲声を忘れてはいない。英国艦隊の砲撃が薩摩藩の砲台を直撃するたびに、城下を破壊するたびに、海江田は五代を呪《じゅ》詛《そ》する雄たけびを上げていた。そして薩摩の魂である集成館が跡形もなく焼き尽くされてしまったとき、こぶしを握り締めて誓ったのだ。次に会ったときは必ず斬る――と。

その海江田のごつい手が、懐で何かをつかんだ。五代の傍らで堀が息を呑んだが、現れたのは一通の書状だった。初めて海江田が口を開く。

「赦免状でごわす」

拍子抜けするほど軽い口調だった。五代が拝礼して受け取ると、その虎《とら》のような眼ざしが一点の曇りもなく晴れ渡った。

「先生」と海江田は五代を呼んだ。

「太守（島津久光）も先生のことを褒《ほ》めておられもした。あれには先見の明がある、と。太守のお褒めにあずかるとは、いやはや羨ましいかぎり」

心底うれしそうに告げて、海江田は鹿児島へ帰っていった。帰国する前の晩、五代は海江田を丸山遊郭《ゆうかく》でもてなしたが、海江田は少しの屈託《くったく》もなく、じつに楽しそうに遊んだ。

海江田の帰国を見送った堀が五代に漏らした。

「何はともあれ無事に済んでようございました。しかしあの海江田なる人物、少し節操がないように思われます」

「節操がないとは、風向きをちゃんと読めるっちゅうことだ。話が通じるっちゅうことなんだよ」

五代は海江田をそう評した。

幕末に人斬りとして鳴らした者は少なくなかったが、無事に畳の上で最期を迎えられたのは海江田信義ただ一人である。彼はのちの西南戦争の際にも西郷隆盛と鹿児島私学校党には付かず、新政府に残って、人斬り以外に能がないにしては、なかなかの出世を遂げた。

五

慶応元年、三月二十二日。薩摩国串木野《くしきの》郷羽島《ごうはしま》沖に、一隻の蒸気船が浮かんだ。その汽船に向かって、十数人の若者を乗せた和船が、波に揺れながら近づいていく。

和船に乗った若者たちはいずれも袴を付けて両刀を帯び、中には裃《かみしも》姿の者までいる。

和船に揺られる若者たちが、行く手の汽船を見やってささやいた。

「あれがグラバー号か」

その汽船の正式な名ではなかったが、これから英国に旅立つ若者たちは、みな目の前に現れた船をそう呼んだ。トーマス・グラバー差し回しの船だったからだ。

こぼれるような日差しを照り返す南国薩摩の海は、あくまで深々と色濃く、静けさをたたえながらも、旅立ちを迎えた若者たちを祝福しているようだ。

にもかかわらず若者たちの表情は、どれも冴えなかった。あるいは緊張に蒼ざめていた。

若者たちの留学は藩命であるとはいえ、この日本の厳然たる国法を知らぬ者は一人もいない。二百年にわたって鎖国が正しいと教え込まれた彼らには、「今度は開国だ。留学しろ」と急に言われても、いま目前に差し迫っている密航に、抜き差しならぬ抵抗感があった。

彼ら薩摩留学生たちをグラバー号で迎えたのは、五代才助、遅れて長崎へやってきた寺島陶蔵、通訳の堀壮十郎、そしてグラバー商会の高級社員ライル・ホームである。

羽島沖に碇泊したグラバー号に留学生たちが次々と乗り込んでいき、最後に一行の団長格である新納《にいろ》刑部《ぎょうぶ》が甲板に降り立った。

最も身分が高い新納が最後だったため、これを待ち受けていた五代が冗談を言った。

「太夫、英国を恐れて、逃げてしまわれたのかと思いもしたよ」

新納はそんな冗談の通じる男であった。

「西洋では船長が最後だと聞いた。そいに倣《なら》ったつもりだが、何か問題でもあろうか」

新納が海外密航を目前にしながら平然としていたのは、かつて琉球を通じた密貿易に関わっていたからなのかもしれない。

「五代の亡き御父上には、ずいぶん世話になりもした」

そう新納は続けたが、五代の亡父もかつて琉球公益掛の任にあった。薩摩は琉球を中継地とした中国東南アジアとの密貿易抜きでは、成り立たぬ国であった。藩士の中でも有能な者が琉球関係の役職に就き、密貿易を担当したのだ。

しかしそれは決して晴れがましい仕事ではなかったようだ。そのことは密貿易によって藩の財政を立て直した調所広郷《ずしょひろさと》が、幕府に厳しく密貿易の罪を糺《ただ》され、みずからの口を封じるために服毒自殺したことからもわかる。

だから五代は留学生を率いる団長格の重臣には、密貿易に免疫のある人物を当ててくれるように、小松帯刀と大久保一蔵に依頼していた。このたびの留学は幕府の国法に背く密航だから、留学生たちは全員変名を用いなければならない。日本を出るための第一歩なのだが、団長格の重臣に人を得なければ、いきなりそこでつまずいてしまう。留学生を引率する重臣に「なぜ御家門（島津一門）の予がお尋ね者の渡世人《とせいにん》のごとく名を変えねばならんのじゃ」などと言い出されては困るのである。

留学生たちがグラバー号に乗船すると、五代はすぐに新納を通して伝えた。彼ら留学生となった薩摩藩士たちが、武士の証と恃《たの》む佩刀を今後は腰に帯びることはまかりならぬ――と。新納には「これは藩命だ」と言ってもらった。

いきなり留学生たちにショックを与えた五代だが、その後は洋服や断髪を強制したりはしない。

留学生たちが五代に向ける眼ざしは、いまも険しかった。この留学計画が五代とグラバーの折衝《せっしょう》によって具体化したことは、知らぬ者もいない。すでに留学生たちの口ンドンでの受け入れ先も決まっており、これはグラバー商会の親会社にあたるジャーディン・マセソン商会の斡旋《あっせん》によるところが大きかった。

東洋の片隅に居ながらロンドンへの留学先を手配する手腕は並々ならぬもののはずだが、留学生たちは感心する代わりに、疑いの目を五代に向けていた。

——やはり、この人は英国の間諜に違いない。

そう思われているのは痛いほどにわかったが、五代は気が付かぬふりをして彼らに接した。英国船なので食事はすべて洋食だったが、五代は彼らにナイフとフォークの使い方を、さりげなく教えてやった。

船は三日で上海に着く。此処で汽船購入の仕事をした経験がある五代は、留学生たちを上海見物に連れ出す。みな平気な顔をしていたが、留学生たちはまず港の光景に度肝《どぎも》を抜かれていた。思わず知らずに五代の袖を取って、港に碇泊している巨大汽船の数々を指さしていた。

五代は留学生たちが指さした船々の種類とおおよそのトン数を、次々と教えていった。留学生の一人が、ユニオンジャックを掲げた英国艦の砲門を、恐ろしげに見やって尋ねてきた。

「あれはアームストロング砲ですか」

そうだ、とうなずいた五代が、意外なことを言い出した。

「おはんたち、アームストロング砲は無敵だと思っちょらんか。完全無欠の大砲だと、ひたすら恐れてはおらんか」

留学生たちの眼が五代に集まる。

「そいは違う。おいは薩英戦争のとき、アームストロング砲が暴発して尾栓《びせん》が吹っ飛ぶのを、この眼で見た。英艦の中におったからこそ、あの大砲の長所も短所も知ることができた」

留学生たちの五代を見る目が変わり、上陸した彼らは素直に五代の上海見物についてきた。

当時まだ上海租界は発展途上だったが、それでも煉瓦街の光景は横浜の外国人居留地などとは規模が違い、初めて西洋風の街並みを見た留学生たちを圧倒した。なかでも彼らを驚かせたのは、夜の街を煌々《こうこう》と照らすガス灯だ。

彼らは街全体を照明する街灯の存在を知らなかった。だから「提灯がなくても足元まで明るい」と素《す》っ頓狂《とんきょう》な声をあげて、街を行ったり来たりしてはしゃいでいた。

「おのぼりさん」丸出しの彼らが掏摸《スリ》にあったりせぬよう気を配っていた五代へ、みながら声を揃えて尋ねる。

「この大火事よりも明るい提灯お化けの正体は何でごわすか」

五代が「ガス灯じゃなかとか」と答えると、みなもっと驚いた顔になった。

「ガス灯とは石灯籠《いしどうろう》のことではなかですか」

それを聞いて、五代は彼らを此処に連れて来てよかったと思った。

薩摩には集成館がある。集成館では島津斉彬の時代に、すでにガス灯が製造されていた。しかしそのガス灯は石灯籠を改造したもので、集成館の敷地の真ん中で、たった一基、松明のような弱い光を放っていたのである。

「ガス灯は神事仏事に使う石灯籠ではなか。街灯なんじゃ」

留学生たちは五代の言葉に、吸い込まれるように聞き入った。

上海を出港した一行は香港に向かったが、その途中、船内での夕食のさい、デザートにアイスクリームが出た。またもや留学生たちは、ひっくり返るほどに驚く。

「冷たい、間違いなく凍っちょる。外は炎暑ぞ。どういうことなんだ」

しかしそのあとは、黙ってうまそうにアイスクリームを食べた。洋食が口に合わない者は多かったが、アイスクリームを残した者は一人もいなかった。その様を見た五代が、ふと思いつく。

――太守（島津久光）への土産にアイスクリームの製造機械を買うことにするか。

これまで汽船購入などで多額の金を藩庁から引き出してきた五代は、このたびの留学生派遣ではさらに多額の出費を藩庁に要請していた。むろん留学費用だけではなく、現地での武器や工業機械の購入費まで含めてのものだが、その莫大な出費要請はすべて小松帯刀や大久保一蔵を通して行ってきた。

――たまには太守のご機嫌を取って、小松様や大久保さんを助けなければ。

その腹づもりから出た思い付きだ。洋食洋酒、西洋の風俗習慣、頭の固い日本人は、たいていそのすべてが嫌いである。しかしそんな彼らもアイスクリームだけは喜んで食べた。かつての幕府遣欧使節の高官たちも、そうだった。

香港《ホンコン》に着いた一行は此処でグラバー号と別れて、P&O汽船会社の大型客船に乗り換える。留学生たちは山が動くようなその船の大きさに、またもや圧倒された。みなの視線が助けを求めるように五代に集まった。「船に取って食われるわけじゃなし」と、五代は平然と乗り込んでいく。みなそのあとに続いたが、実は五代もこれほど大きい客船は初めてだった。

勝手知ったるふりをして乗り込んでいった五代だが、この客船は外から見て大きいだけではなく、内部の船室の様子も、これまでの船とは違っていた。

船室に入った留学生の一人が、あるものを指さして五代に尋ねる。

「あれは何ですか」

「あれは湯船だ。西洋ではバスタブっちゅう」

するとその留学生は、首を振って、さらにそのものを強く指さした。

「違いもす。バスタブはわかっておりもす。そん隣にあるものでごわす」

「ああ、あれね」と五代が、留学生が示したものに近づいていく。一生懸命に記憶を探ったが、やはり思い当たるものがなかった。ひとつ咳払いした五代に、留学生たちの視線が集まる。しげしげとそのものを見回したところ、それは円形の陶器で床に固定されていた。把手がついており、試みに回してみると、いきなり陶器いっぱいに水があふれ出てきた。

にっこり笑った五代が、その水で顔を洗ってみせる。

「これは洗顔器でごわす」

床に這いつくばるように腰を屈めなければならぬ、ひどく顔が洗いにくい「洗顔器」だった。不得要領にうなずいた留学生たちだが、中で最も勘《かん》のよい森金之丞《きんのじょう》（有礼《ありのり》）が、はたと手を打って、この客船のボーイに何事か尋ねに行く。すぐに森は戻ってきたが、その顔つきたるや、得意満面、いや笑いをこらえるのに必死な表情だった。

「五代さん、この陶器の正体がわかりもしたよ」

高らかに森が告げる。

「これは水洗トイレットでごわす」

その場の留学生たちが一斉に笑い出す。新納も堀も笑い出した。五代も頭を掻《か》いて笑った。

「おいもまだ英国には一度も行ったことがないんよなぁ」

上海までだった。五代が行ったことがあるのは。

――上海に行ったときは。

その先を五代は語ろうとはしなかったが、彼の初めての上海行きは、水夫に化けての密航である。その船には、水夫用のトイレすらなかった。舷側から尻を突き出して用を足すのだ。

五代の表情が、ふいに懐かしげに変わった。五代も両手で舷側を握り締めて用を足したが、思いだしたのは彼自身の用足しではない。一緒に上海に行った堀の用足しでもない。後生だから誰にも言わないでくれ、と懇願されていた者の用足しだ。

——あげなこと、誰にも言うかよ。斎藤。

五代は心の中でつぶやいた。

六

五月二十八日、薩摩留学生の一行はサザンプトンの港に着いた。

当日ロンドンに入った一行が、英国外務省職員とジャーディン・マセソン商会社員の前に姿を現した時、刀を差している者はおろか、丁髷《ちょんまげ》姿の者も和服姿の者もいなかった。全員、洋服断髪姿である。森のように早くも英語が喋れるようになっていた者までいた。

さっそく留学生たちは各々の専攻に従って大学等に配属され、寺島陶蔵は英国外務省に日参して情報収集と外交折衝を行った。蘭学者だった寺島は、薩英戦争以降、英語に切り替え、早くも自在に使いこなせるまでになっていた。

五代は通訳の堀を連れて、新納とともにマンチェスターの紡績工場やロンドンの砲兵工廠《こうしょう》を見学して歩いた。五代には機械や武器の買い付け任務もある。

世界の工場と称された英国の近代設備は五代の眼を驚かせたが、そんな彼の耳に摩《ま》訶《か》不思議な噂が飛び込んできた。さっそく堀に真偽を糺してみる。

「このロンドンでは、地面の下を汽車が走っちょると聞いた。本当か」

堀もその話を聞いたことがあった。しかし英語に慣れた堀も、五代と同じように怪訝な顔つきにならざるを得ない。

「汽車が地面の下など走れるものでしょうか」

五代も堀も汽車には乗ったことがある。しかし地面の下――と言われても、日本人は千両箱を隠す穴くらいしか想像できない。隧道《ずいどう》（トンネル）は知っているが、日本のそれは人一人がやっと背中を屈めて通り抜けられる代物でしかない。あの黒光りする鋼鉄の機関車に長大な客車の列が牽引《けんいん》された汽車が、どうやって地下を走るのか、いくら頭をひねってみても見当もつかなかった。

そこでこのたびの英国渡航に同行したグラバー商会の高級社員ライル・ホームに、

そっと尋ねてみた。周囲を憚《はばか》ったのは、その地面の下を走る汽車が、英国の軍事機密なのかもしれないと感じたからだ。

するとライル・ホームは拍子抜けするほど簡単に教えてくれた。「キングス・クロス駅に行けば、誰でも乗れますよ」と。

そこで教えられたとおりキングス・クロス駅に行ってみると、地上駅のそばに地下に下りる階段があった。地下に下りるというと、五代たちには坑道くらいしか思い当たらず、下りるのも命がけという印象だったが、その階段は足元も天井も煉瓦か石かコンクリートかはわからぬが、埃ひとつ立たぬよう整然と固められており、ロンドンの市民たちが、天井を気にすることもなく、足元を確かめることもせずに、すたすたと下りていっていた。

五代と堀も市民たちの後に付いて、階段を下りていく。平気な振りをしていたが、地下の駅にたどり着いたとたんに、ぎょっと身構える。

伝説の巨大地下神殿にでも、紛れ込んでしまった心地がした。

「本当に地下に駅があった」

五代が叫んだ。周りのロンドン市民たちが振り返ってきたが、幸い日本語なので何を言ったのかはわからなかったはずだ。

　五代も堀も「おのぼりさん」丸出しに、地下駅をきょろきょろと見回す。きょろきょろしすぎて、プラットフォームから転落しそうになった。ガス灯に照らされた巨大構内で、堀から「ちゃんと注意してください」とたしなめられ、五代は真っ暗なトンネルの先を見つめて「本当に来るかな、汽車が」とつぶやいた。

　そのつぶやきが聞こえたかのように、トンネルの向こうで、ドラフト音がこだまし始めた。「おい」と五代が堀の袖をつかむ。何の返事もかえってこなかったので、その横顔をうかがったところ、いつも落ち着き払った堀の口が、呆けたように半開きになっていた。

　固唾《かたず》をのんで見つめる二人に向かって、ドラフト音はどんどん迫ってくる。やがて真っ暗なトンネルの先で標識灯が赤く光った。あれよあれよという間に鋼鉄の機関車が正体を現し、地底の風を巻き上げるように、駅の構内へ轟音を響かせながら進入してきた。ブレーキが引かれたのか車両の連結器が軋《きし》んだのかはわからぬが、耳をふさぎたくなる機械の悲鳴を発して汽車が停車する。いちいちたじろいでいた五代と堀が「それ」と気合を入れて、客車に乗り込んだ。本当に走れるならば走ってみろ、と言わんばかりだったが、汽車は駅の客を乗せると、再び轟音を発して走り出す。

五代と堀はただひたすら、車窓からの景色をきょろきょろと見回していた。車窓の向こうでは、黒い闇が凄い勢いで流れ去っていく。窓に顔を貼り付けてみても、間違いなく列車は先へ先へと進んでいた。

「走っちょっ。本当に地下を走っちょ」

五代と堀は、走る列車の轟音に負けないように声を張り上げる。途中、青天の霹靂《へきれき》のごとくに対向する列車とすれ違い、五代と堀は自分たちの乗った列車が爆発したのかと勘違いして慌てふためいた。だが列車は何事もなく走り続けるし、同乗のロンドン市民たちも席を立とうとすらしていないので、五代たちも目が回るのをこらえて座っていた。

列車がパディントン駅に到着すると、ほうほうの体《てい》で下車する。そこでようやく対向する位置にもプラットフォームがあるのに気が付いた。先程の「爆発」が何だったのかわかったのだ。

ふらふらと地上に出てみると、すでに日が暮れかけていた。

――地下に汽車を走らせるとは。

五代の記憶によみがえってきたのは、少年のころ、いまは亡き父に命じられて、世界地図の複写をしたときのことだ。あのとき、少年だった五代は、英国が日本と変わらぬ大きさの島国であるのを見て、大いに勇気づけられたものだ。その日から五代は、ずっと思い続けてきた。英国とはどんな国だろうか。どんな景色が広がり、どんな人々が住んでいるのだろうか。そしてその文明の発達ぶりはどれほどに素晴らしいのだろうか、と。

グラバーのパートナーとなった五代は、英国という国を見切った気がしていた。良いところも悪いところもすべて見通している、と思い込んでいたのだ。だからこそ英国留学生派遣の先頭に立ったのだが、その五代が実は英国というものを、本当にはわかっていなかった。

興奮が収まらぬ五代は、堀と一緒に夜のロンドンをさまよい歩いた。夜が更けてきてもホテルに帰ろうとはせずに、あちらこちらをさまよい続ける。最初、五代の行動は地下鉄に乗った興奮のせいだと思っていた堀が首をかしげはじめた。眼に付いた酒場へ手当たりしだいに入っていく五代は、どの店でも何かを物色するように、周りをきょろきょろ見回していたからだ。もはや堀には嫌な予感しかなく、とある一軒の酒場で、五代はとうとう見つけたのだ、その心のど真ん中を射抜く女を。

一目で東洋の血が入っている女だとわかった。髪も黒く瞳も黒く、肌には東洋人独特のきめの細かさがある。五代の鼻息が荒くなり、それを見た堀が臍《ほぞ》を嚙む。

「まずい」と舌打ちしたのは、彼が五代の女の好みをよく知っていたためだ。薩摩国で生まれ育った五代は藩命で海軍伝習所のある長崎へ遊学してきたのだが、この長崎の地が、さまざまな意味で五代の人生を変えてしまった。

グラバーとの出会いもしかり、上海への道もしかり。そしていま一つ、丸山遊郭もしかり、だった。五代は当時の日本に多かった一重瞼《ひとえまぶた》の女を好まず、二重瞼のぱっちりとした瞳の女を好んだ。

古くから外国人を相手にしていた丸山遊郭には、そんな五代が好む女が大勢いたのである。長崎通詞であり、そこで五代と知り合った堀は、五代の女の趣味をいやというほど思い知らされていた。好みの女に眼を付けたときの五代が、どんな表情になるのかも、知りすぎるほどに知っていた。

先程から五代が、さかんに堀の袖を引っ張っている。

「堀、あの女と話を付けたい。通訳しろ」

堀は知らぬふりをしていたが、そんなことで引き下がる五代ではない。

「堀、逃げようたって、そうはいかん。おいは決めたんだ。あの女を口説くと」

五代に袖をつかまれた堀が、その女の様子をうかがう。五代と女は早くも眼で合図をし合っていた。こうなっては何を言っても無駄だが、それでも堀は言わざるを得ない。

「先生、此処は長崎じゃない。日本ですらない。我々はこの国では『おのぼりさん』です。先生も上海で留学生たちに仰っていたじゃないですか。眼を合わせてくる女には気を付けろ。美人局《つつもたせ》に遭うぞ、と」

だが五代は水夫に化けて上海に渡った勇敢さを発揮して、目指す女に突進していく。誘われるがままに、その女の後に付いていった。通訳をさせられている堀には、どう見てもその女の誘い方は美人局のそれとしか思えなかった。

その女に誘い込まれたのは、路地裏にある酒場と宿屋を兼ねたような店で、樫《かし》のドアが閉じられたとたん、五代と堀は眼付きの悪い男たちに囲まれてしまった。

「ほら、言わんこっちゃない」と堀は非難の眼ざしを五代に向けたが、肝心《かんじん》の五代は周りを取り囲んだ連中をうるさそうに一瞥して、とんでもないことをほざいた。

「美人局でも何でもよかが、早うあの女を出せ。話はそん後だ」

あいにく、その五代の言い草は、相手には全く通じない。「堀、訳せ」と言われたが、こんなごろつきたちを相手に、破廉恥《はれんち》なやり取りを通訳するなど、まっぴらごめんだった。

しかも長崎通詞の堀には、ロンドンの下町で使われていたスラングなどわかるはずもなく、双方とも自国の言葉で罵り合う収拾のつかない事態に陥ろうとしていた。

まるでこのときを見計らったように、閉じられていた樫のドアが開かれる。風のように一人の男が入ってきて発した。

「お困りですか」

あれ、と五代も堀も振り返る。聞こえてきたのは、まぎれもなく日本語だったのだ。

眼をこすって見やれば、薄暗い石油ランプに照らされたそこに、フロックコート姿でシルクハットをあみだにかぶった男が立っていた。五代たちと目が合うと、ひどく気取ったしぐさでシルクハットに手をやり、

「わたくし、ジラール・ケンと申します」

と、名乗った。

さすがの五代と堀もびっくりして顔を見合わせる。その「ジラール・ケン」、身なりこそ西洋のそれだが、顔つきといい体格といい日本人にしか見えなかった。

「おはん、日本人か？」

五代が尋ねたところ、その男はもう一度、名乗った。

「わたくし、ジラール・ケンと申します」

そして「薩摩藩士、五代才助様ですね。わたくしの主人が会いたいと申しております」と続けた。

樫のドアの外を、ジラール・ケンは、ひどく大げさなしぐさで示す。ロンドンはこんな路地裏にまでガス灯が灯っていたが、その青白い光の下に、この荒《すさ》んだ場には不似合いな、立派な馬車が止まっていた。

ジラール・ケンがうやうやしく開いた馬車の扉から、ケンの主人が降りてきた。

「シャルル・ド・モンブラン伯爵《はくしゃく》です」

その名がケンによって告げられるや、酒場に異変が起こった。先程まで薄暗い石油ランプの下でとぐろを巻いていたギャングたちが、先を争って飛び出してきて、ケンの主人を迎えたのだ。

ケンの主人が、跪いてその手に口づけしようとするギャングたちへ、声高らかに告げた。

「みなに神の祝福があらんことを」

その姿は牧師のようでもあり、ギャングたちの親分のようでもあったが、その風貌を子細《しさい》に眺めれば、やはり生まれながらの貴族にしかない上品さをたたえていた。そのシャルル・ド・モンブラン伯爵が、自然なしぐさで五代に手を差し伸べる。

「わたしはあなたのような方をお待ちしていたのです。ミスター五代」

モンブラン伯爵はフランス貴族だったが、その所領はベルギーにあり、伯爵は五代に対して、薩摩とベルギー合弁の貿易商社設立を持ちかけてきた。

五代とモンブランは初対面のときから話が弾んだ。フランス語のモンブランの通訳は、もちろんジラール・ケンがつとめた。その話題はビジネスの件にとどまらず、笑い話のように五代の女の趣味にまで及んだ。

「ミスター五代、此処は長崎ではありません。女は秘密クラブでお探しなさい。良ければ、心当たりのクラブをいくつかご紹介しますよ」

このモンブランの申し出を五代が受ける気満々なのを見て、堀は渋い表情になった。

シャルル・ド・モンブラン伯爵――聞き覚えがある名前だった。その後、各方面に当たって調べてみたところ、出るわ出るわ、良からぬ噂が。

調べるうちにあのモンブランの日本人執事のことも少しわかった。本名は斎藤健次郎《けんじろう》といい、数年前に当時来日していたモンブランに連れられて出国したという。武州熊谷の出であるとのことだが、詳細はわからず彼が出国に至った経緯も不明だった。

また何よりも堀を案じさせたのは、五代の前に姿を現す以前の、モンブランの行動だった。彼は五代たち薩摩藩に接近する以前には、幕府の遣欧使節に対してもベルギーとの合弁商社設立を売り込んでいたのである。その際、モンブランは幕府使節の柴田日向守《しばたひゅうがのかみ》に向かって、ベルギーとの合弁商社設立こそ薩摩など雄藩の力をくじき幕府の覇権を不動にするための道、とプレゼンテーションしていたのだ。

「そんな人物ですよ、モンブラン伯爵は」

そう忠告した堀が、だめを押すように続ける。

「モンブランはどうやら、先生のことを以前から知っていたようです」

すると五代は驚きもせずに、

「メルメ・カションを通しておいの名を聞いちょったんだろう」

と、堀の図星を指して見せた。

メルメ・カションというのは、まだ日本に開国騒ぎが起きる以前から、琉球に来ていたフランス人宣教師だ。

琉球は中国（清国）から距離的に近く、日本（薩摩）と中国の双方に属していた。欧米の眼が東洋に向けられるまでは、その存在が注目されることもなかった。しかしアヘン戦争によって欧米列強の中国進出が始まると、その存在が俄然《がぜん》注目されてくる。欧米列強の次の標的である日本への寄港地として、さらには東南アジア貿易の中継地として。

そのため、琉球に外国船が姿を見せたのも早かった。アヘン戦争直後から、中国進出で一歩おくれを取ったフランスの軍艦が姿を見せるようになる。続いてあのペリー艦隊が、アメリカ合衆国の足跡をしるした。

ほとんどの日本人はペリー艦隊が浦賀に来航するまで、黒船など見たことすらなかった。しかし琉球はその前後には、すでにペリー艦隊の貯炭地になっており、内地の日本人がペリー艦隊を浦賀の沿岸から遠望するのが関の山だったのに対して、琉球にいた薩摩藩士は、実際に軍艦に乗船して砲門やボイラーを間近で見学していたのである。

　亡父が琉球公益掛だった関係で、五代はメルメ・カションを知ったようだ。カションは宣教師でありながらほとんど布教活動をしなかった得体のしれぬ人物だが、大変に語学の才能があり、一年ほど琉球に滞在しただけで、日本語を自在に操れるまでになっていた。

　一八五八年、日米修好通商条約が結ばれたさい、他の諸外国もこれに准ずる条約を日本と結んだ。このときカションはフランス代表団の通訳として、同国と日本との条約締結に立ち会った。日仏条約を締結したフランス代表団の中にモンブランもいたのだが、五代にとって今も印象深いのは、そのときカションからもたらされた情報のほうである。

「ミスター五代、あなたには上海に伝手《つて》がありますか」

と、聞かれた。そのときの五代には、上海に伝手はなかった。しかし伝手のある男を知っていた。

　トーマス・グラバーである。

　当時、グラバーはジャーディン・マセソン商会の代理店を開業するべく、長崎に乗り込んできた野心あふれる駆け出しの商人だったが、全くの徒手空拳《としゅくうけん》で商売の元手が全くなかった。

そのグラバーに、五代はカションから得た情報を教えてやった。

――日本と外国との金銀比価には数倍の開きがある。日本の小判を上海に持ち出すだけで数倍の洋銀（メキシコドル）が手に入る。ただし、この仕事ができるのは一年だけだ。早い者勝ちだ、急げ。

グラバー商会の親会社にあたるジャーディン・マセソン商会は、上海に大きな支店を構えている。となればこれは千載一遇《せんざいいちぐう》の機会だ。この大儲《もう》けの機会に、みすみす手をこまねいているグラバーではなかった。さっそく江戸に乗り込み集められるだけの小判を掻き集めると、これを上海のジャーディン・マセソン商会に送って莫大な利益を上げた。

グラバーは自分の会社（グラバー商会）の元手を稼がせてくれた五代に、当然深く感謝した。「なぜ、わたしを見込んでくれたのですか」とグラバーに訊かれて、五代は「おはんは日本語が喋れるからだ」と答えた。冗談めかした言い方だったが、全くの嘘ではなかった。

グラバーが日本語を喋れなければ、五代はグラバー商会の親会社であるジャーディン・マセソン商会とは何かを、明快に知ることもできなかっただろう。

清国（中国）を半植民地化するきっかけとなったアヘン戦争――当時の幕府首脳を震撼《しんかん》させたこの戦争の黒幕がジャーディン・マセソン商会だった。英国政府に清国の地理地形の詳細から内政軍事のあらゆる情報を提供し、戦争になった場合の精密なシミュレーションまで行って、英国政府を納得させたのだ。

この戦争は「アヘン」と冠《かぶ》せられて、世界に広まった。アヘンのために清国の人と社会がどうなっても構わない――という英国のエゴイズムが全面に押し出された戦争だった。

だから五代も人前でジャーディン・マセソン商会について語ったことは絶えてない。だが五代はアヘン戦争という世界の大事件が、英国政府ではなくジャーディン・マセソン商会によって主導されたと知って、深い感銘を受けざるを得なかった。

世界の工場と称され世界一の文明国と謳《うた》われた英国の底力を、初めて実感した気がした。

――「官」を動かせる「民」がある。

どれほどに動機が汚くても、これは壮挙だ、と五代はひそかに思った。日本もそんな国になればいい、と思ったのだ。

だから五代は堀に止められても、モンブランとの交渉をやめようとはしない。のちには堀ばかりではなく、英国に馴染んできた薩摩留学生たちからも忠告されたが、それでもモンブランとの交際を深めていった。

モンブランも使える男なのだ、グラバーと同じように。

——ほかに理由はいらんじゃろう。

五代はきっとそう言いたかったに違いない。

七

五代は少年のころから才走っていて、よく目立つ存在だった。同郷の後輩であるとはいえ、黒田了介のような猛者を弟分として扱えるほどの人物だったのである。

しかし出る杭は打たれる、と言おうか、五代自身も決して謙譲《けんじょう》な性質ではなかったせいか、藩内での彼の評判は決して良いものばかりではなかった。

グラバーやモンブランのビジネスパートナーになることをためらわない五代は、逆に朋輩であるからという理由で、同じ薩摩藩士を仲間扱いしなかった。いや、朋輩どころか、兄の徳夫《のりお》との仲が良くなかった。

五代の父、直左衛門はそんな息子才助の気質を見抜いていたのだろう。琉球公益掛の藩務に際して、嫡男の徳夫ではなく才助のほうを琉球に伴った。

まだ少年だった五代は、そこで初めて異国の人間に会った。国籍も名前もわからぬ、顔つきもうろ覚えの異人だ。しかしそこで聞いた異人の言葉は、のちに五代の娘の藍《あい》子《こ》の口癖となるほどに強烈だった。

「西洋人は、自分の才能に応じて生涯忠実に生き抜く」

西洋人が忠実なのは、主君ではなく自分自身だというのだ。日本の武士道徳では決して許されぬイズムだが、大義名分に自己陶酔する日本の武士道に違和感を抱いていた少年五代は、ようやく此処に指針とすべきイズムに出会えた。主君への忠実を巧みによそおうことはできても、自分自身の心を欺《あざむ》くことだけは決してできない。

西洋のイズムに強い感化を受けた五代が、生き生きと活動し始めたのは、薩摩を出て長崎の海軍伝習所に入った後のことである。海軍伝習所での五代は寺島陶蔵などと違って、あまり優等生とは言えなかったようだが、その代わりグラバーと組んで他の藩士には真似の出来ぬ働きをして見せた。

集成館事業を行っていた薩摩では、蒸気船の購入に熱心だったが、五代は薩摩とグラバーの橋渡しをして購入契約を無事に成立させた。もっとも藩内からは、五代が巨額の仲介料を取っているに違いないと後ろ指を指されたが。

また大量の綿を買い付けて海外に輸出し、薩摩藩に巨額の利益をもたらしたこともある。南北戦争によってアメリカ南部の綿花生産が深刻な打撃を蒙《こうむ》ることを見越しての処置だが、むろんその情報を五代に教えたのはグラバーだ。世界に情報網を持つジャーディン・マセソン商会の代理店主グラバー以外の誰が、そんな情報をもたらせるだろうか。

しかし綿の買い付けに薩摩の密貿易業者、浜崎太平次《はまさきたへいじ》を使ったため、藩内での五代の評判はさらに悪くなった。綿の大量買い付けは素人にできることではなく、また密貿易業者とはいえ浜崎太平次は藩主のお目見えを得るほどの名士だったにもかかわらず、五代はペテン師扱いされた。

そのせいか、文久二年（一八六二）に長崎から行った五代会心の提案は、いとも簡単に藩庁から却下される。

――この五代才助を上海に出張させてはどうか。上海ならば長崎の半分以下の値で蒸気船が購入できる。しかも上海のほうが性能の良い船が多く売りに出されている。

この提案は五代とグラバーの関係がよほど深まったからこそ実現できたのだ。五代の上海行きは、長崎を拠点に蒸気船を売っているグラバーにとって、本来ならば営業妨害そのものである。その五代の提案をグラバーが受け入れたのは、グラバーに首を縦に振らせるだけの額を稼がせたのが五代であると、グラバー自身が認めたからだ。

「そこんところを誰もわかっちょらんのだよな」

そう五代は同行の堀壮十郎にぼやいてみせた。文久二年のこの日、堀は初めて五代に会った。初対面にしてはずいぶん五代は馴れ馴れしく、堀の肩を気易く叩いて、「おはん、英語がペラペラとはたのもしいのう」と笑った。四月下旬の湿った生ぬるい風が、路地裏のように入り組んだ長崎の街を、のろのろと吹き抜けている頃のことだった。

いまだ五代が腹に秘めた企みを知らない堀が尋ねる。

「五代さん、これからどこへ」

だが五代は「ちっと付き合うてくれ」としか答えない。几帳面《きちょうめん》な堀が、もう一度「これからどこへ」と尋ねようとしたとき、突然に五代の鼻息が荒くなった。どうしたのか、と色めき立った五代を見やったところ、その視線の先に一人の遊女がいた。丸山遊郭で有名な長崎は、美人の産地として、また遊郭が多い街として知られていたが、此処は「たまがわ」という店の前だった。

三年後、ロンドンの街で五代の鼻息が荒くなったときは、いち早くこれから起こる事態を察した堀だが、いまはただ目を丸くして五代の豹変《ひょうへん》ぶりを眺めるだけだ。その堀の袖をつかんで、五代は「たまがわ」に突進していく。

「この店に上がるぞ」と、件《くだん》の遊女に眼を釘付けにしたまま五代は宣言した。ようやく五代の意図を察した堀が、きっぱりと答える。

「わたくし、家に妻が待っております」

五代がびっくりしたように、堀を振り返った。珍奇《ちんき》なものでも見るように堀の顔を眺める。だが五代は「今日は帰っていい」とは言わなかった。「ならば酒でも飲んで待っといてくれ」と応じ、堀の袖を離そうとはしない。

酒代は心配するな、と言われたので、やむなく店に上がった堀だが、じつは彼は下《げ》戸《こ》だ。盃の酒を用心深く舐めていると、急に店の奥が騒がしくなった。男二人が怒鳴《どな》り合う声が聞こえてきたのだ。

　耳を澄ませてみたところ、声の主の一人は五代ではないか。驚いて駆けつけてみると、五代が同じ齢くらいの武士と、激しく口論をしていた。堀に酒を運んできた「たまがわ」の仲居もやってきて、堀に耳打ちする。

「肥前の大隈八太郎《おおくまはちたろう》さんばい」

　五代の口論の相手の名である。のちの大隈重信《しげのぶ》だが、女を巡って言い争っていることで、重信の歴史的事績を紹介しても始まるまい。

　五代が横取りしようとした女に、大隈八太郎はよほど惚《ほ》れていたのか、血相を変えて五代に詰め寄っていた。五代もまた眼の色を変えて、口角泡を飛ばしている。しかし懸命なのは当人たちだけだ。店の者たちは、肝心のその遊女まで含めて、呑気《のんき》に笑っている。堀も馬鹿臭《くさ》くなって、元の部屋に戻った。

　冷えた酒をまた舐めていると、ようやく五代が帰ってきた。まだ顔が真っ赤だった。興奮冷めやらぬ調子で大隈八太郎を罵る。

「あいつ、どう見ても女にもてる面相じゃなか」

確かに仏頂面の大隈八太郎に比べて、五代は切れ長の鋭い瞳が印象的なばかりでなく、顔全体が整った好男子だった。

とはいえ、こんな痴話げんかにまともに付き合う気は、堀にはない。それでも五代がその女の話をやめようとはしないので、面倒くさくなって堀は答えた。

「ならば五代さん、今日は粘ってその女を口説き落としてくださいな。わたしは今日のところは失礼いたしますので」

堀が腰を上げようとしたところ、五代が残念そうに言った。

「そうしたいのはやまやまだが、あいにく今日はこれから行かんとならんところがある。堀君、君も一緒だ」

先程も同じ事を言われた。これから行くところがある、と。また堀が尋ねる。

「五代さん、これからどこへ」

五代の返事が聞こえてきた。堀が首をひねる。「冗談ですか」と聞き返すと、「冗談なものか」と断固たる五代の声が返ってきた。

上海へ行く――と、堀に正気を疑わせるようなことを、五代は告げた。これから上海行きの船に乗るぞ、と。

そろそろと後ずさりを始めた堀だったが、何食わぬ顔の五代は、その袴の裾を尻でがっちりと押さえこんでいた。懸命に逃れようとしている堀へ、満面の笑みで五代は続ける。

「安心しろ、堀君。すべての手続きは済んどる。あとは船に乗るだけでごわす」

「手続きって、上海へ行くのは薩摩へ行くのとはわけが違うんですよ」

そう言えば——今日は四月二十九日だ、と堀は思いだした。

この日、幕府が仕立てた上海行きの船が出航する。五代はその船に乗るつもりなのだろう。しかし上海行きの船は、その辺の渡し船とはわけが違う。いまから乗ります、と簡単に便乗《びんじょう》できるものではない。そもそも日本人の海外渡航は、数年前まで絶えてなかった。

鎖国は幕府の国法だ。犯せば問答無用の死刑だった。

確かにペリーの来航によって、事情は大きく変わった。だから今日、上海行きの幕府船が出帆するのだ。しかし鎖国の法が消え去ったわけではなく、いまも海外渡航には大変に厳しい制約がある。上海行きの船は確かにこの日、長崎から出帆するが、乗船できるのは幕府から特別の許可を得た者に限られていた。

「わたしは公儀から、そんなお許しをいただいた覚えはありませんよ」

声を大にして訴えた堀が「五代さんのことは知りませんが」と、吐き捨てるように付け加える。五代が大きく堀にうなずいてみせた。何を言いだすのかと待ち構えた堀へ、少しも悪びれずに五代は答える。

「おいもそんなお許しは頂戴しちょらん。藩庁が許可してくれんもんを、どうして幕府が許可しようか」

あきれ果てて口もきけぬ堀へ、

「じゃっどん大丈夫。行けるのだ、上海へ」

五代は嬉しそうに言って、堀の肩をポンポンと叩いてみせた。得々と「大丈夫」なわけを説明してきた。それによると、正規の乗船員は乗船名簿の作成も厳密《げんみつ》で、そこに名前のない者の出航は決して許されない。

しかし、と五代は会心の笑みを浮かべて教えてくれた。

「水夫ならば、行ける。たまげるほどに簡単だ。幕府の法もザルでごわすなぁ」

そう言って、五代は心地よげに笑ってみせた。

この日、出航するのは幕府船だ。だが当時の日本には安全に海外へ渡航できる船は存在せず、外国船を調達する以外に方法はなかった。

これから五代たちが乗ろうとしている船も、名前こそ「千歳丸」と和船そのものだが、一か月前まで「アーミテス号」と名付けられていた英国船だったのである。

出航のちょっと前に「千歳丸」になった「アーミテス号」は、船を動かす船員も大半が英国人であり、日本人船員の扱いについては処遇があいまいだった。乗船した幕臣たちも、英国人船長には、口を出しにくかったようである。

「アーミテス号はもともと上海と長崎を往復していた定期船で、第一のお得意様がグラバー商会だった。おいはそのグラバー商会と強いコネクションがある。じゃっで堀君、君の分も水夫として申請しておけたのだ」

これですべて解決だ、と五代が堀を急《せ》き立てる。行くぞ、と言いかけて、ひとつ思いだした。

「おはんの女房にも君が二、三か月留守にすると伝えておいた。安心しろ、おはんの給金の半年分を渡しておいたから。女房殿、喜んでいもしたぞ。こんなにたくさんいただいちゃって、とな」

こうして五代たちは千歳丸に乗り込んだ。水夫として乗船したのだから、居場所は船底の水夫部屋である。自分の寝棚に水夫にしては大きすぎる船員箱を置くと、周りの英国人水夫たちが、じろじろと五代を見回してきた。口いっぱいに噛みタバコを噛んでいた水夫の一人が、茶色い唾をペッと吐き、五代を指さして吠えた。「イエローモンキー」――と。

五代は聞こえぬふりをしようとはしなかった。五代よりも頭ひとつ大きいその水夫の前に立ちはだかって、その場から一歩も下がろうとはしない。息詰まる睨《にら》み合いに、ほかの水夫たちも二人の周りに集まってきた。

機先を制するように、五代が握ったこぶしを相手の顔の前に突き出して見せる。お前たちのケリの付け方を知っているぞ、と見せつけられて、相手の水夫は逆上したように、こぶしを握り返す。けもののように躍りかかってパンチをふるった。やすやすと五代に見切られる。五代は英国人流のケリの付け方――拳闘《けんとう》に通じていた。パンチをかわされてひるんだ相手の水夫に、五代のパンチが炸裂《さくれつ》する。もんどりうってその水夫がひっくり返ると、周りを取り囲んでいたほかの水夫たちから口笛が沸き起こった。

賛辞の口笛であると、五代にはわかった。すぐに倒れた水夫を助け起こしてやる。

周りからの口笛が、さらに高く沸いた。

英国人水夫たちが、五代に仲間のしるしを差し出してきた。噛みタバコだ。すぐに五代は口に入れて噛み始める。水夫たちのように茶色い唾を吐いてみせると、みな満足げに握手を求めてきた。

この船には五代も含めて十人の日本人水夫がいる。五代はその一人ひとりに噛みタバコを配っていった。みな少し戸惑った様子で、これを受け取る。堀は迷惑そうな顔をした。

「行儀悪く唾を吐くなんて」

と、異議を唱えてきたが、五代は構わず噛みタバコを渡していく。最後に渡したのは、背の高さが目立つ水夫だった。噛みタバコを渡しながら、五代がその長身の水夫の耳元でささやく。

「おはん、幕府の間諜じゃろう」

噛みタバコを受け取ったその水夫は、べつだん驚きもせずに問い返す。

「なぜ、そう思ったのか」

「じゃっで」と五代はくすくす笑いながら応じた。

「おはんみたいな色白な水夫がいるわけがなか」

するとその水夫も「なるほど」とうなずいて、くすくすと笑いだした。

「何せ、急だったもので、日焼けするどころか、ロープの結び方ひとつ覚える時間がなかったんだよ」

「わかりもした。ロープを結ぶのはおいが引き受ける。これでも海軍伝習所にいたんだからな。そんくらいはできもすよ」

「手間をかける」と一礼したその水夫が、背筋を正して名乗った。

「御公儀勘定所、小栗上野介《おぐりこうづけのすけ》様支配、斎藤辰吉と申す」

五代も一礼して「薩摩藩士、五代才助と申す」と名乗り返す。

この幕府船は貿易品の試売が目的だが、幕府にとって清国の国情調査は、その目的以上に優先順位が高かったかもしれない。アヘン戦争、アロー号事件によって半植民地化した清国の国情が凝縮されているのが、欧米列強の租界が建設された上海だ。

乗船者としての記録がはっきりと残らない水夫の中に、幕府が紛れ込ませた調査員が斎藤辰吉だった。上司である小栗上野介忠順《ただまさ》の指示だ、と斎藤は隠さず五代に告げた。日本を取り巻く国際情勢に対して、老中を中心とした幕閣があまりに呑気なことに業を煮やし、急遽その独断で調査員派遣が決められたという。

「海軍伝習所におられた貴殿ならばご存知だと思うが、小栗様は遣米使節の目付を務められたお方だ。遠く離れた米国から俯瞰して見れば日本の危うさが痛いほどにわかる、と仰せであった。清国の後を追っているのが日本である、と。ゆえに清国の轍《てつ》を踏まぬようにするには、清国の国情を徹底的に探る以外にない――そう仰せられてそれがしをお遣《つか》わしになったのだ」

小栗忠順たちの遣米使節がアメリカ合衆国に渡ったとき、あの咸臨《かんりん》丸も太平洋を越えて渡米した。海軍伝習所にいた五代には、咸臨丸渡米の方が印象に強い。咸臨丸の乗員には海軍伝習所出身者が多かったからだ。あのとき伝習生たちは渡米を前に意気軒昂として語ったものだ。

「アメリカ渡航、何するものぞ。太平洋など恐れるに足らん。我ら、この日のために日夜、厳しい訓練を積んできたのだ」

だからアメリカの海軍士官たちが咸臨丸に同船すると聞かされた時、彼らは一様に憤慨して言い放った。

「乗ってくるのはいいが、決して我らの邪魔をするなよ」

ところがいざ航海に出てみると、伝習所の「精鋭」たちは、生まれて初めて見る太平洋の荒波に為《な》す術《すべ》すらなく、結局同船のアメリカ海軍士官たちが彼らに代わって航海を引き受け、無事に咸臨丸をアメリカまで運んだ。

「海を渡った咸臨丸の伝習生たち、行きの元気はどこへやら、帰りはすっかりおとなしくなって、またもや乗り組んできたアメリカ海軍士官たちを、今度は師匠のように迎えたそうだ」

こんな話を五代がしたのは、これが初めてである。海軍伝習所の同僚にも薩摩藩の朋輩にも「日本の国威を辱《はずかし》める」気兼ねのある話題は避けなければならなかった。いまだ薩英戦争の一年前で、日本国じゅう猫も杓子《しゃくし》も「尊王攘夷」を叫んでいたころだ。

斎藤辰吉は五代が密航してまで上海へ行こうとする理由を尋ねてくれた。海軍伝習所の同僚も薩摩藩の朋輩も訊こうとすらしてくれなかったことだ。

「おいは体を張って自分の正しさを証明するしかなかと。今回も今後も」

藩内では五代の兄の徳夫に至るまで、グラバーのパートナーとなった五代のことを、「夷狄に擦り寄り商人風情に成り下がった、武士の風上にも置けないやつ」と非難していた。

「じゃっで飛び切り上等の汽船を安く買うてみせて、藩庁の鼻を明かしてやるつもりだ」

これを聞いた斎藤が、水夫として乗船してきた五代の身なりを見回して、当然の疑問を口にする。

「しかし上海は汽船が安いといっても、十万ドルを下るということはあるまい。藩庁から購入を託されたわけでもないあなたが、どうやってその資金を工面《くめん》するつもりだ」

「資金はジャーディン・マセソン商会が立て替えてくれる」

五代はこともなげに答えた。「ジャーディン・マセソン商会はグラバー商会の親会社だ」と付け加えようとして、「知っている」と斎藤に遮られる。ややあってから斎藤が五代に尋ねてきた。

「ジャーディン・マセソン商会は――」

「頼りになるぞ、斎藤君。おはんが国情調査の頼みにしようとしている上海のオランダ領事館よりも頼りになる」

図星を指された斎藤が考え込む表情になった。幕府はこのたびの上海渡航並びに貿易試売にあたって、上海のオランダ領事館に多額の為替《かわせ》発行を依頼している。そんなことができるのは天下に君臨する幕府以外にはありえない。オランダ貿易を二百年以上にわたって独占し続けてきたのは幕府であり、鎖国体制下の日本にあって他に外国とのコネクションを持つ藩があろうとは考えも及ばなかった。

いや、このたびの場合、藩ですらない。五代個人と言ってもよかった。

「斎藤君、紹介するよ。ジャーディン・マセソン商会を」と五代に申し出られても、素直には斎藤もうなずけない。五代も無理には勧めなかった。

出航して三日目、急に海が荒れ始めた。空は曇り吹き付ける風が船を右に左に揺らしながら、小山のような波を甲板《かんぱん》に打ち寄せてくる。幸い五代は船に強かったが、堀壮十郎の方は船酔いでのびてしまった。

「安心しろ、堀。こげな嵐でこの船が沈むことはなか。遣唐使の時代とは違うからな。海を渡るのが命がけだった時代に比べれば、ありがたいことじゃないか。船酔いくらいで済んで」

ちょっと癇《かん》に障《さわ》る慰め方だったので、堀が返事をしないでいると、五代は英国人水夫からもらった嚙みタバコを、また嚙み始めた。のびている堀を置いて、ペッペッと茶色い唾を吐きながら、甲板にのぼろうとする。嵐の手当てに忙しい英国人水夫たちの手助けをするつもりだ。

そこで甲板から下りてきた斎藤辰吉と鉢合わせする。雨風にずぶ濡れだった斎藤が、ひどく思いつめた顔で声を押し殺した。

「五代さん、話がある」

斎藤の隠された任務に不都合が生じたのか、と噛みタバコで膨らんだ五代の頬が動きを止める。この千歳丸は幕府船だが、じつは幕府と関係が良くないとされる長州藩の藩士も、幕臣の従者という名目で乗船している。中に一人、眼を引く武士がいた。小柄で面長、吊り眼が特徴的なその武士は、ちょっと見、軽薄な印象だったが、まともに見据えられると、織田信長の再来に出会ったように怖かった。

高杉晋作《しんさく》。その名には五代も聞き覚えがあった。

――確か、長州尊王攘夷派の首領じゃ。うかつに近寄らん方がよか。

グラバーのパートナーである五代は、そう感じて高杉を避けていたが、幕府隠密の斎藤もまた、長州藩士との間に何らかの面倒が起きても不思議はない。

――水夫としてこの船に乗った斎藤は、仮に長州との面倒に巻き込まれたとしても、幕臣の身分を公にするわけにはいくまい。

などと案じていると、斎藤が五代に耳打ちをしてきた。予想に反したその耳打ちを聞いて、五代はびっくりした顔になったが、斎藤は「とても他の者には頼めぬ」とうめくように言う。わかった、とうなずいた五代が、用心深くあたりを見回す。幸い他の水夫たちは嵐の手当てのために出払っていて、水夫部屋には船酔いでのびている堀しかいない。

五代は水夫部屋の隅に置いてあったロープを一束抱えると、そっと梯子《はしご》をのぼって水夫部屋の外へ出た。いきなり風雨が吹き付けてきて、五代もずぶ濡れとなる。五代が船の舷側を見やった。船体のローリングに合わせるように、猛烈な波が舷側を乗り越えてきたかと思うと、甲板で波飛沫を躍らせた挙句、どっと海面に引きずり込まれていた。

五代は傍らの斎藤の体に固くロープを結びつける。しかし今一方の端を結びつける柱も杭もなかった。五代はそろそろと舷側に近づき、そこにロープを固定できないか調べてみたが、あいにくこの船の舷側はロープを通せる構造にはなっていなかった。

くそっ、と舌打ちしようとして、口一杯に頬張った嚙みタバコに邪魔される。英国人の真似をして頰張っていた嚙みタバコを、残らずその場に吐き捨てた。

──こげんなもんが口の中にあっちゃあ踏ん張れん。

五代は邪魔なものがなくなった唇を真一文字に結んで、結びつける所が見つからなかった、いま一方のロープの端を握り締めた。

「斎藤君、我慢できないんだろう」と問う。斎藤は蒼ざめた顔でただうなずいた。

「ならばおいが付き合うよ」

五代は握り締めたいま一方のロープの端を、己れの両腕に幾重にも巻き付けて、水夫部屋へ降りる梯子に両足をフックして体を持っていかれるのを防いだ。

「いいぞ、斎藤君」と叫ぶや、ロープを体に巻き付けた斎藤が、右に左に大きく傾いている舷側を、身投げでもするように飛び越えた。「ああ、そんなに慌てるな」と五代は叫んだが、風雨に邪魔されて斎藤には聞こえない。いや、聞こえていたとしても、同じだったかもしれない。

斎藤の姿が舷側の向こうへ隠れたとたん、ぴんと張ったロープから予想を超える重量が、いま一方の端を握った五代の全身にかかってきた。

──斎藤の奴、こげんに重かったんか。

歯を食いしばって、五代はフックをかけた両足を踏ん張る。今度は両腕が抜けそうになって、幾重《いくえ》にも両腕に巻きつけていたロープが、くるくるとほどけていく。慌ててロープをつかんだ五代の手のひらが、摩擦熱で擦《す》り切れた。思わず手を離しそうになって、全力で踏ん張った。かろうじてすり抜けていくロープを食い止める。まだ安心するのは早い。斎藤の命綱を握っているのは、五代の両の手のひらだけだ。ちょっと油断したならば、いや、油断しなくても、予想外のローリングが来れば、たちまちロープは五代の手のひらから抜け飛んで、斎藤は真っ逆さまに落ちて海の藻屑《もくず》と消え果てるだろう。

早く済ませてくれ、と念じてロープを引くと、舷側の向こうから、そうしたいのはやまやまだがどうにも止まらないんだよ、と情けなさそうにロープが引き返されてきた。こういうときほど時の流れは耐えがたく遅い。

ようやく斎藤の長身が舷側の向こうから現れ、這いつくばるように戻ってくる。「ああ、おれは天に見放されたか」と、風雨に煙る灰色の空を仰いでつぶやいた。「こんな時に便所もない場所で腹を下すとは」と続ける。無念げと言おうか、馬鹿馬鹿しげと言おうか、自分の気持ちが整理できないようで、いったいこの憤懣《ふんまん》をどこへぶつけてよいかもわからず、ただ空を睨んだ。そんな斎藤を、五代は声を大にして励ました。

「斎藤君、腹を下せば、一度ですまんことはわかっちょる。次も遠慮なく言ってくれ」

あまりに力強く励まされたせいか、斎藤は面映《おもは》ゆげに声を小さくした。

「済まない。つまらんことに巻き込んでしまって」

確かにつまらないことかもしれない。だがそのつまらないことに、小栗忠順から上海の国情調査を命じられるほどに抜け目ない斎藤辰吉の命がかかっているのだ。

――こんなところでトイレをし損ねて死んだんでは、死んでも死にきれまい。

五代は「もしまたもよおしたならば、すぐにおいを呼べ」と斎藤に言い置いて、甲板上の船室へ入った。いきなり高杉晋作と鉢合わせした。もっとも苦手な相手のはずだが、いまは怖いだとか苦手だとか言って、避けてはいられない。高杉は胃腸があまり丈夫ではないと聞いていたのだからなおさらだ。いつもとは違った大声で五代は高杉を呼びとめる。

「お願いがあります」

何事ならん、と振り返ってきた高杉へ、両手を差し出して五代は要求する。

「腹下しの薬を分けていただけませんか」

さすがに高杉は少しびっくりした顔をしたが、すぐに印籠《いんろう》から下痢止めの薬を取り出して分けてくれた。お礼もそこそこに斎藤の所へ戻ろうとした五代の背中で、高杉の声が響いた。

「あんた、薩摩藩の人だろう」

「薩摩藩士、五代才助でごわす」

高杉の声を聞いた瞬間に、五代は本名を名乗るべきだ、と直感した。

八

千歳丸が上海の港に入ったのは、五月六日の朝である。港の大きさもそこに碇泊する蒸気船の数も、長崎とは比較にならなかった。

「これは幸先がよか」と五代は有頂天になって堀壮十郎の肩を叩く。ようやく船酔いから解放された堀も、その壮観な光景に圧倒されたようだ。

さっそくジャーディン・マセソン商会の上海支店に赴く。五代に従ったのは堀一人ではなかった。斎藤辰吉もまた、五代の勧めに従い国情調査の情報源を、オランダ領事館からジャーディン・マセソン商会に変更していた。

この後、五代と堀は斎藤辰吉と別れて汽船の調査を始めたが、意外にも高杉晋作が非常な興味を示して同行を依頼してきた。

五代が狙いを付けたのは、船の国籍と幹部船員の国籍が異なっている船だ。このような船の中に、売りに出されている船はないかと探し始めた。

五代が最初に訪ねたのは、英人宣教師ミュアヘッドだった。宣教師は当地（上海）の上流社会に顔が利く。そして裏社会にも顔が利いた。同行の高杉は何も言わなかったが、五代のやり方にますます興味を覚えたのか、次の五代の訪問先にも同行してきた。

次に五代が訪ねたのは、上海ギャングのアジトである。此処では堀を通訳には使えず、ミュアヘッドに紹介された日本語の喋れる中国人を使った。

この時代にはまだ上海ギャングに、チンパンという呼び名は付いていない。しかしもともと運河の運送業者だった彼らは、このころも後の時代もアヘンの運び屋をしており、当時の外国船の多くはアヘンを主力商品としていたため、他の誰よりも外国船情報に通じていた。

こうして五代は目論見通りに蒸気船購入の契約をまとめてみせた。長崎で買えば三十万ドルはする船を十二万ドル余で買うことに成功したのだ。

これを見て高杉はいよいよ五代の手腕に感心したらしい。今度は購入した船の実地検分に付いてきた。

五代は船内を高杉に案内して回りながら説明した。

「蒸気船は絶対に一八五〇年代半ば以降に建造されたものでなければならん」

走行性能が優秀な内部スクリュー船は、それ以前には、どこの国でも造船が始まっていない。それ以前の蒸気船はすべて外輪船だ。嘉永《かえい》六年に来航したペリー艦隊の船もまた然《しか》り。これを聞いた高杉が五代に訊き返してきた。

「時代遅れになっているのは外輪船だけか」

五代はすぐに高杉が何を訊き返しているのかを察した。

「銃も同じですよ、高杉さん。ゲベール銃など今では時代遅れもいいところです」

「いま、英国軍の制式銃はエンフィールド銃だと聞く」

「おっしゃる通りです。でもそのエンフィールド銃の時代も長くは続きますまい。十年もせんうちに、必ず次の新式銃が出てくるはずでごわす」

「西洋は日進月歩だな」

尊王攘夷で名高い長州の高杉晋作が、はじめて西洋文明に触れたのはこのときだ。ちょうど寺田屋の変の知らせが、上海にもたらされたころである。薩摩の尊王攘夷派を代表する有馬《ありま》新七《しんしち》が、島津久光の上意によって斬られた事件だ。

「高杉さん、おいはこの世で一番救いようのない馬鹿は、尊王攘夷派だと思っちょります。じゃっで有馬新七の死は悦ばしい」

わざと五代は高杉を刺激するような言い方をした。だが高杉は怒るどころか、反論してこようともしなかった。その狂気を秘めた眼ざしが、冷静に五代へ続きを促してきた。

「かといっておいは太守（島津久光）を尊敬しているわけではありません」

これを聞いて高杉は、少し声を立てて笑った。この時代に、はっきりと事実上の藩主（島津久光）をないがしろにする発言をする武士など、おそらく高杉も初めてだったのだろう。

「いま日本では公武合体が最も合理的現実的な策だと思われておりもす。とくに太守はそうです。これぞ日本を救う策だとの思し召《おぼしめ》しです。じゃっどんこの上海に来れば見方が百八十度変わるはずでごわす。日本におれば最良に見えた公武合体が、いかに非合理的で非現実的か、いやでも丸見えになるはずです。いまさら過去の遺物に過ぎぬ朝廷と幕府がくっついて、いったい何をするっちゅうのです。相手は時代の最先端を行く諸外国なのですよ。朝廷と幕府がくっつく小手先の策で、諸外国に対抗できると思いもすか」

五代が欧米列強のことを口にしたせいか、高杉は話題を少し変えてきた。

「五代君、この国で起きている内乱についてどう考える」

この国で起きている内乱とは、太平天国の乱を指す。

「国の変革に内乱は避けて通れんと思っちょります。しかし――」

いったん言葉を切って高杉の顔を見つめた。

「太平天国の乱はもう十年以上も続いとります。その結果、国力は疲弊し、内乱に乗じた諸外国の食い物にされちょる。我が国は清国の轍を踏んではならん、と思っておりもす」

「おれも同意だ」

満足げに高杉は口調を強めてきた。

「内乱は一年で終わらせたい――いや、できれば一戦でケリを付けたい」

その高杉の言葉を聞いて、五代は内心でうなる。

――その離れ業《わざ》ができるのが、ここにいる高杉晋作なのかもしれん。

面白い男に出会えたと堪能《たんのう》した五代へ、懐を探った高杉が一丁のリボルバーを取り出す。「いろいろ世話になったお礼だ」とその六連発リボルバーを五代へ贈る。すぐにコルト社製の最新式だと分かった。

――よう手に入ったな。

その驚きに応えるように、高杉が付け加えた。

「そのリボルバー購入を世話してくれたのは、五代君の友達の水夫だ」

斎藤辰吉のことを言っているのである。斎藤の名前を出さずに、わざとぼかして言ったのは、その正体を察していたからに違いない。

「あの水夫君、言っていたぞ。五代才助は命の恩人だ、と」

「いや、別に」と言葉を濁《にご》さざるを得なかった五代へ、高杉はとぼけたように続けた。

「あの水夫君が五代君に感謝しているのは、トイレをし損ねて死ぬのを救ってくれたことばかりではない。何よりも感謝すべきは、英国がどうして凄いかをわからせてくれたことだ。ジャーディン・マセソン商会――あんな凄い商人がいる国だから英国は凄いのだ、とわからせてくれた。あの水夫君はそう言っていたよ」

九

五代才助が高杉晋作と再会したのは、ともに上海へ渡ってから四年後の慶応二年（一八六六）五月、場所は長崎だった。

高杉が長崎を訪れた目的は、軍艦の購入である。五代の顔を見ると、高杉はいきなり言った。

「五代君みたいに上海まで行って船を買う時間がない。急ぎ必要なのだ。使える軍艦が」

高杉は五代に、グラバーとの間を仲介してくれるよう依頼してきた。幕府との戦争を目前に控えた長州は、八方駆けずり回って武器集めに奔走していた。

「あまり大きくない船の方がいい。瀬戸内海で使うのだから。備砲もアームストロング砲みたいなのはいらない。その代わり小回りが利くのが条件だ」

的確に要望を伝えてくる高杉に対して、

「予定戦場の水深はどんくらいですか。もし浅すぎるようならば、かえって外輪船の方が使える場合がありもす」

と、五代は返答したが、先程からどうしても眼に入ってきて仕方がないのが、高杉の同行者たちである。高杉には二人の同行者がいたが、二人ともその有様が尋常《じんじょう》ではなかった。

一人は高杉の背後に控えていたが、よほど高杉が怖いのか尊敬しているのかはわからぬが、気を付けの姿勢のまま直立不動なのである。ときおり瞬きをするのだが、そのたびに五代はその男の顔を見てしまう。いま一人の同行者は高杉と並んで座っていたが、長州の命運を左右する軍艦購入の話にさして興味を示す風もなく、なぜか五代の顔を意味ありげに眺めていた。

軍艦購入の話がまとまってから、ようやく高杉が二人を紹介してくれた。

「井上聞多《もんた》と伊藤俊輔《しゅんすけ》だ」

高杉の背後で直立不動なのが伊藤俊輔（博文《ひろぶみ》）、そして高杉の隣で何を考えているのかわからない様子なのが井上聞多（馨《かおる》）だった。

初めて井上が口を開いた。

「ところで五代さん、上海の様子はどうでした」

四年前のことを尋ねているのではないと、すぐに直感した。薩摩留学生を引率して洋行していた五代は、この年の二月に新納刑部、寺島陶蔵とともに帰国していたが、その帰途、五代は上海に立ち寄っている。そこで五代が見たものが、まるで井上にも見えているようだった。

「終わったんでしょ、アメリカの南北戦争」

そう井上は水を向けてきた。五代は腹をくくって応じた。

「昨年に終わりもした。いま、上海には南北戦争で使われた大量の武器が、買い手を求めて流れ込んできておりもす。しばらくこの状況は続くでしょう」

「それで貴藩はどれくらい買うつもりですか」

「三十万ドルです」

五代の返答を聞いた井上が「いいなぁ、貴藩には金があって」と、びっくりした顔になった。まるで西洋人のように両手を広げるしぐさは無邪気なほどで、釣り込まれた五代が「確か井上さんもロンドンに洋行されたことが――」と話に乗りかけたとたん、

「天保通宝、百文の原価は三十六文だと聞きましたが本当ですか」とやられた。

さすがの五代も黙り込む。井上は知っているのだ。薩摩藩が軍資金を捻出するため天保通宝の偽造を行っていることを。百文の天保通宝を三十六文の原価で偽造しているという誰にも知られてはいないはずの内幕を、井上は知っていた。にもかかわらず井上はそらとぼけたように続ける。

「うちの藩には残念ながら、真似をしたくてもその技術がない。貴藩のように集成館がないのだ。この違いは大きい」

と大きな溜息をついてみせた。

この一月、薩摩と長州との間に同盟が結ばれた。薩長同盟だ。しかし同盟が結ばれたからといって、両藩の間の緊張感が消えたわけではなかった。両藩はわずか二年前に、敵味方に別れて戦った（禁門の変）こともある。

井上は釘をさしているのだ。長州を出し抜けると思うなよ、と。薩摩のことは何で

も知っているぞ、と脅してきているのだ。

五代の表情が険しく変わったのを見て、高杉が井上をたしなめる。

「いい加減にせんか、聞多。一度、死に損なっても減らず口は変わらんのう」

高杉は一昨年の井上聞多の遭難を語った。いまだ藩論が定まらぬとき、反対派に襲われて医者が匙《さじ》を投げるほどの重傷を負ったことを。

「九死に一生」と高杉が発したとき、なぜか五代は高杉から眼をそらせた。四年ぶりに再会した高杉を一目見た印象を、敢えて考えまいとしていた五代の心がつぶやく。

――高杉さん、顔色が悪すぎるようだ。

隣に座る井上には、ここから見る限り遭難時の傷一つない。遣り切れぬ感じがして顔を上げたところ、直立不動の伊藤俊輔と眼が合った。高杉の背後に立つ伊藤は木偶《でく》の坊《ぼう》のようだ。だがその木偶の坊の方が、高杉よりもずっと影が濃く見えた。

十

この年の六月、長州は幕府との戦いに勝利する（第二次長州征伐）。幕府の権威は大いに失墜したが、五代は長州勝利をはじめから確信していた。

この戦争ののち、ある幕府高官が提出した幕府の敗因に関する報告書がある。その報告書でこの幕府高官は、長州の方が優秀な武器を装備していたため幕府は敗れた、と記していた。一見、的を射た観察のようだが、この高官は「長州兵の大半はゲベール銃を装備していたが、幕府方にゲベール銃は少なく大半は火縄銃だった」と書き記している。この高官はいまでもゲベール銃が最新式だと思い込んでいるのだ。

こんな無能が高官に居座る幕府が勝てるはずがない――と嘲笑《あざわら》った五代だが、当時、開門丸という薩摩藩所有の蒸気船で、諸国の情報収集ならびに交易（武器と薩摩特産品）に従事していた五代に、黙過《もっか》できぬ情報がもたらされた。

幕府軍に四斤ナポレオン山砲があった――というのである。事情を知らぬ連中には、その意味すら分からなかったであろうが、五代は強い焦りを覚えた。

四斤ナポレオン山砲はフランス製の最新砲というだけではなく、運搬が容易な軽量砲で、山岳地帯が多い日本に最も適した火砲だった。

いまだ幕府方の大半は、鎧兜に太刀を佩き槍をしごいて足軽に火縄銃を持たせるという、戦国時代の幽霊《ゆうれい》のような恰好で戦っているが、その時代錯誤な光景の中にナポレオン山砲があったのだ。

――やはりロッシュ・フランス公使は幕府にナポレオン山砲を与えちょったのだ。

五代は臍を噛む。この六月、薩摩に英国のパークス公使がやって来た。三年前の薩英戦争のときとは打って変わった親善交渉が行われ、薩摩は英国が味方になってくれたものと信じている。

――だがあの英国公使は、仮想敵国であるフランス公使の情報を教えようとすらせんかった。

五代は自力で幕府とロッシュ・フランス公使の関係を探り始めた。だが幕府の周辺は五代にとって、最も手の及びにくいところである。江戸には薩摩藩邸があるが、「ごわす」と薩摩なまり丸出しの相手に、誰が本当のことを喋ってくれようか。となれば、五代が頼みにできるのは、今も勘定所に出仕する幕臣、斎藤辰吉のほかにはいなかった。

斎藤を通じてもたらされた情報は五代を驚かせた。ロッシュ・フランス公使はパークス英国公使のような、幕府と薩摩、どちらに転んでも本国の不利益にならぬように動く、老獪《ろうかい》なタイプの外交官ではなかった。ロッシュの立場は「幕府の最高顧問」だ、というのだ。

――幕府はロッシュの指導によって、急速に生まれ変わりつつある。

との報告を疑う余地は少ない。斎藤の上役である小栗忠順こそが、その改革の幕府方の責任者であったのだから。

軍備を中心とする産業改革が、日本で最も早かったのは薩摩である。次が長州。幕府は西南雄藩に大きく後れを取っていた。そのアドバンテージによって長州は幕府に勝利したのであり、そのリードがあればこそ、薩摩の倒幕構想は成り立ちえたのである。

だがいま、幕府は眼の色を変えて薩長の後を追いかけ始めた。その幕府の最高顧問はロッシュ・フランス公使だ。世界一の陸軍大国と言われるフランスの力を背景に、巻き返しを図ってきた。

いま薩長が有利なのは、近代化で一歩幕府に先んじているからである。だが後から追いかけてくる幕府に、もし並ばれてしまえば、薩長のアドバンテージは消え去る。幕府は日本国の主《あるじ》だが、薩長は地方の一藩に過ぎない。所領規模が全く違うのだから、出せる金の額も違う。もし幕府が本腰を入れて軍事改革を行ったならば、じきに薩長は太刀打ちできなくなってしまう。

――そうなる前にケリを付けんと。

そこに思い至ったとき、五代が誰よりも期待したのは同じ薩摩の西郷、大久保ではなく、長州の高杉晋作だった。

五代は戦争に勝つのに、英雄も豪傑《ごうけつ》も必要ないと考えている。戦争はロマンではない。武器が優秀で、その優秀な武器を装備した部隊を、適正に指揮できる将校がいれば、当たり前に勝つ。そこには奇跡や感動が入り込む余地などない、と考えていた。

ただしそれは当たり前の戦争のときのことである。時代の変革期には、当たり前ではない戦争が必ずある。そのような戦争では、当たり前の戦略や戦法は全く役に立たない。不利な流れを一撃で変えてしまう、天性の破壊力がすべてを決するのだ。

二年前の高杉晋作の功山寺《こうざんじ》の挙兵がそうである。そのとき長州は京都の政変に敗れて朝敵にされるは、外国艦隊と交戦して完膚なきまでにやられるは、で完全に流れを失っていた。藩論は全く反対派に傾いていたのである。だから高杉の挙兵には、山県《やまがた》狂介《きょうすけ》（有朋《ありとも》）ですら同意しなかった。従ったのは伊藤俊輔だけである。

しかしそれでも高杉の挙兵は成功してしまった。その勝因を理論的に探るなど、無駄もいいところだ。高杉だからやれた——ただそれだけなのだ。

倒幕戦争でも高杉晋作に先陣を切ってもらうしかない、と考えていた五代のもとへ、その高杉危篤《きとく》の報が入ってきた。

再起は不可能だ、と聞いて五代は頭を抱えた。時間がない、と五代は急ぎ鹿児島へ帰った。長崎で会った高杉の顔色の悪さについて、あれこれ詮索する余裕もなかった。小松帯刀と大久保一蔵に説いて、上海出張を訴えた。だが上海行きは今日思いついて明日実行できる、というほど簡単なものではなかった。すでに英国密航から一年二年が過ぎていたが、やはりよほどの事情がないかぎり、渡航の許可は下りなかった。

苛々《いらいら》と待つうちに慶応二年も暮れ、八月に十四代将軍徳川家茂《いえもち》が死んだのに続いて、十二月には孝明《こうめい》天皇も崩御して、世間の不穏はいよいよ高まっていた。

ようやく五代が上海に渡航できたのは、慶応三年（一八六七）の八月に入ってからである。パリ万博に派遣された薩摩藩家老、岩下方平《いわしたみちひら》を迎えに行くという名目だった。しかし五代が本当に迎えに行こうとしていたのは岩下ではない。

念願かなって上海行きの船に乗り込んだ五代は、いまかいまかと上海到着を待つ。一日千秋とはまさに今の己れの心境のことだ、と叫びたくなった。ところが上海の港が見えたとたん、五代は尻込みした。ずっと待ち焦がれていたはずなのに、気後れして足が前に進まなくなってしまった。

己れの双肩にかかった責任の重さが、ひしひしと実感されてきていた。しかもそれは誰かに命じられたわけではなく、みずからが買って出たものだった。

薩摩で五代は、小松帯刀と大久保一蔵に繰り返し主張していた。

「高杉晋作がおらん以上、倒幕の戦争は薩摩がやらにゃなりません。勝機は幕府の準備が整う前だけです。幕府の準備が整う前に、能《あた》う限りの武器を集めて、それを集中投下するのです」

だが大見得《おおみえ》を切ったものの、五代にも確たる計画や計算があったわけではなかった。行ってみなければわからない——そんなあやふやな五代を信じて、小松と大久保は軍資金の使用権限をすべて与えてくれた。

上陸して租界に入った五代は、なんとなく顔を隠すように街を歩いた。このたびはジャーディン・マセソン商会上海支店も訪ねてはいない。

行かなければならなくなるかもしれないし、上海に入ったことを秘密にしなければならなくなるかもしれなかった。

すでに上海の街には通じている五代は案内人も頼まずに、目当てのホテルへ向かった。そこで五代を待ち受けていたのは、パリ万博帰りの薩摩藩家老、岩下方平だった。

五代をみとめた岩下が、何かを憚るように発した。

「どげんするつもりだ、五代」

これに対して五代は「かのお人、お待ちですか」と応じる。岩下が黙ってホテルの最上階の部屋に案内する。部屋の扉をノックしたところ、聞き覚えのある声が聞こえてきた。

「どうぞ、お入りください」

日本語だった。時間を引きもどされたように、あの酒場がよみがえる。薄暗い石油ランプに照らされたロンドンのいかがわしい酒場が。

扉が重々しく開いて声の主が現れる。洋装のジラール・ケンが、五代の目に飛び込んできた。フランス語で奥の主人へ呼びかけた。「ミスター五代がお見えになりました」と。

奥からコーヒーの香りが漂ってくる。豪華なソファーに腰を下ろしたシャルル・ド・モンブラン伯爵が、そこにいた。「後は任せた」と岩下のささやく声を背中で聞きながら、五代はコーヒーの香りがする奥へ入った。

ジラール・ケンがブランデーを入れたコーヒーを五代にも運ぶ。自らもモンブランと五代の間に座った。フランス語通訳として。

この緊迫した場面で、ふと五代は堀壮十郎の顔を思い出した。絶対に信用できる通訳のなんと有難いことか。

五代はさりげなくペンと紙を取り出してテーブルの上に置いた。ジラール・ケンに「数量を正確に記す、備忘用でごわす」と断った。メモ用紙にしてはずいぶん大判な紙をモンブランに見えるよう五代が広げると、交渉が始まった。

「ミスター五代もご存知の通り、いま上海には南北戦争で使われた武器が大量に流れ込んでいます。ミスター五代にはグラバー商会などを通して、それらの武器を購入されるご予定があるかと思いますが、太平天国の乱が収束したことを考えれば、それは当然の選択でしょう。上海に入ってきた南北戦争の武器の大半は、太平天国の乱がまだ続くと思って輸入されたものですから、当てが外れて、いまでは値が暴落を始めています」

五代はジラール・ケンのフランス語通訳に聞き耳を立てる。

――英語だったならばもうちっとわかるのだが、いや、英語だったならば堀に通訳をさせるのだが。

この交渉には暗闇を足先で探るようなおぼつかなさがある。だが五代はモンブランの喋るフランス語がわかったような顔をして応じた。

「伯爵、おいはまだジャーディン・マセソン商会には顔を出しておりません。今のところ出す予定もありません」

これを聞いたモンブランの眉が大きく動いた。

「今回、薩摩藩はマセソン商会ならびにグラバー商会から武器を購入しない、と考えてよろしいのですか」

「あくまで現時点での話でごわす」

これを聞いたモンブランに、余裕の笑みが浮かんだ。

「英国は決して薩摩の味方とばかりは言えませんからね」

モンブランのフランス語に続いて、ケンが通訳した日本語が返ってきた。どうしてモンブランがそんなことを言ったのか、五代にはすぐに理解できた。

英国公使パークスは「日本が内戦状態になることは望まない」と公言していたが、

あのグラバーは着々と武器を買い集めている。長崎にある彼の豪邸の倉庫には、大量の武器が格納されており、その数はいまなお増え続けているという。

つまり、英国は内戦を望んでいないのではなく、逆にその早期終結を望んではいない、ということだ。確かに英国は幕府よりも薩摩に肩入れしていたが、しかし、本国の利益を犠牲にしてまでパークスが日本と薩摩の未来を考える義理はない。

五代も長年のパートナーであるグラバーに、敢えて武器購入の意図について、問い質そうとはしなかった。グラバーにとって五代よりもパークスの方が、より上位のパートナーであるとわかっていた。南北戦争、太平天国の乱の終結で値下がりした武器を大量に買い付け、これを新たな内戦予定地である日本に、全て売り尽くそうと考えているのだ。パロット砲のような日本の国情に合わない武器まで含めて。

先程からモンブランは「貴方は西洋の流儀がわかってらっしゃる」と言いたげな顔で、五代に微笑みかけている。

――義理人情に訴えようとする馬鹿ではないから、貴方はわたしの所に来たのだろう。

と、その碧《あお》い眼が語っていた。五代が軽く安堵の息を漏らす。

――どうやら此処までは、間違いなく意思の疎通《そつう》ができとる。

傍らにケンの視線を感じた。もう一度、安堵の息を吐こうとして、ケンにささやかれた。

「ご安心ください。おかしな小細工などしませんから」

咄嗟に五代は聞こえぬふりをする。うかつに振り返っていたならば、ケンの「おかしな小細工」を防ぐためにモンブランの目の前に広げた紙をしまわなければならなくなるところだった。

モンブランの口から予想通り「パロット砲」の名が出る。南北戦争で大量に使われた有名な大砲で、いま上海の武器市場に出回っている火砲も、このパロット砲が中心だった。

五代はパロットのスペルを、モンブランに見えるように「ｐａｒｒｏｔｔ　ｒｉｆｌｅ」と、目の前に広げた紙に大書してみせる。モンブランがおどけたような顔をして言った。

「それです、ミスター五代。まさかパロット砲を買ってしまったのではありませんか」

五代が首を横に振って見せると、やはりモンブランは大げさに安心した素振りをして見せる。

「パロット砲はアメリカの大平原で使ってこそ役に立ちますが、これほど日本に不向きな火砲はありません。あんな巨大な火砲を、山ばかりの日本でどうやって運ぶというのですか」

そこで――とモンブランは指をパチンと鳴らしてみせた。「わたしならば四斤ナポレオン山砲をお勧めします。価格はパロット砲よりちょっと高いが、日本の内戦を一気に終わらせることができる武器です」と続ける。

「すでに日本にはロッシュ公使を通じてナポレオン山砲が行っています。ご存知ですか、ミスター五代」

パロット砲とナポレオン山砲の価格差は「ちょっと」ではなかったが、五代は覚悟したようにペンを握った。はじめ五代はそのフランス語の原名を書くつもりだったが、この火砲の原名は大変に長たらしく、フランス語がわからない五代は、綴り方を間違える恐れがあった。契約が掛かっている場合、それは相手に付け入られる原因となる。ペンを握った五代が、モンブラン顔負けの大げさな素振りをして見せた。おどけたように眼を剝いてモンブランの顔を見つめたかと思うと、一気にペンを走らせた。五代が広げた紙に眼を落としたモンブランが声を発して笑う。よくわかった、と身振りで示してきた。

五代が書いたのは原名のスペルではなかった。画である。四斤ナポレオン山砲をサイズまで含めて正確に描いた画だった。

五代には絵心がある。むかし兄の徳夫から「そげなご奉公の役に立たんことで時間をつぶすとは何事だ」と説教されたことがあったが、五代はこの緊迫した場で、兄に言い返してやりたくなった。「ほら、この通り、ご奉公に役立っとりもすよ」と。

モンブランとの交渉も、いよいよ核心に迫っていく。モンブランはこの上海に二十五門の四斤ナポレオン山砲を持ち込んでおり、薩摩側に買い取る気があるならば、ただちに引き渡す、と言う。

五代はナポレオン山砲の画の隣に、アラビア数字で「25」と記してみせる。もちろん買うつもりだった。しかしモンブランの話はそれで終わらなかった。

「わたしにはロッシュ公使の幕府への武器供給を止めることはできません。しかしミスター五代、ご存知ですか。いまナポレオン山砲の半分はフランスではなくベルギーで造られていることを。そのベルギー経由の武器、全て薩摩にお売りしてもよろしい」

ペンを握った五代の手が止まった。モンブランはフランス貴族だが、その領地はベルギーにある。一昨年の洋行の際、五代もモンブランに招待されてベルギーに渡った。その眼でベルギー重工業を見てきた。しかし「ナポレオン山砲の半分をベルギーで製造している」のが事実かどうかを、いまこの場で確かめる術はない。

だが五代の直感は、ここでためらってはいけない、と訴えていた。

「わかりもした。全て薩摩が買いもす」と返答する。そうしなければナポレオン山砲をはじめとする大量の新兵器が、全て幕府に渡ってしまうと直感したのだ。

五代が平気な顔でモンブランに購入総額を質す。「百十万ドル」と答えが返ってきた。五代はナポレオン山砲の画の隣に弗《ドル》と書き、百十万をアラビア数字で記した。ゼロの数を一から五までモンブランに読み聞かせる。

モンブランが五代のペンで、自分のサインと年月日を記した。五代も自分の名を書き、小松から預かった藩印を捺《お》した。

モンブランが握手の手を差し伸べてくる。その西洋人らしい大きな手に眼を落とした五代が顔を上げてみると、モンブランの顔は笑っていなかった。

「わたしはこの契約が貴藩にとって、どれほど重いものであるのかを承知しています。だから売りっぱなしにするつもりはありません。わたしもミスター五代と一緒に責任を負うつもりです」

そのあともモンブランはよどみなく話し続けたが、急に通訳するケンの日本語が聞こえてこなくなった。先に気づいたのはモンブランの方である。ちらとケンを咎《とが》めるように見やった。突然、モンブランがフランス語ではなく、英語で発する。「わたしもミスター五代とともに日本へ行く」と。フランス語なまりの聞き取りにくい英語だったが、ごく簡単な言葉であり、五代は「わかった」とモンブランにうなずき返す。ケンが場を取り繕うように、五代へ「おわかりになったようだから、通訳には及びませんね」と応じた。

幕府を倒し薩摩を中心とする新政府の樹立を手助けする、とモンブランは語った。

十一

五代がモンブランたちとともに帰国してみると、日本の政治情勢は著しく緊迫の度合いを強めていた。薩摩藩では今日明日にも藩主島津茂久《しげひさ》を奉じた西郷吉之助《きちのすけ》（隆盛）が、三千の藩兵を率いて京都へ進発するという勢いだった。

すでに大久保一蔵は島津久光（茂久の父で事実上の藩主）に従って上京しており、五代は小松帯刀に藩印を返却する場で、モンブランとの契約を報告した。

小松が大きく溜息をついて眼をつぶる。

三十万ドルの予定が百十万ドルとなった。薩摩藩の年間歳入は十五万両（約三十万ドル）ほどである。

眼をつぶっていた小松が、ようやく口を開いた。

「どのような算段をしても、当藩には払いきれぬ」

すると五代は、平然と言い放った。

「薩摩で払う必要はありません」

初めて小松の顔に怒りが浮かんだ。五代が返却した藩印を振りかざして、怒鳴りつける。

「そげな軽いものではなかぞ、藩の印は」

だが五代は一歩も引かない。小松を鎮《しず》めるように藩印を振りかざした手を押さえると、小松から眼をそらさずに続けた。

「幕府を倒して新政府を立てれば、それで解決ではありもはんか。払いは新政府に回せばよかです」

その契約に乗ったモンブランは薩摩思いの有難いお方だな、と皮肉を言いかけた小松が、最も緊急の問題を思い出した。冷静な表情に戻った小松が、試すように五代へ問う。

「先のことはさて置いて、とりあえず手付金がいるはずだ。これは樹立されるであろう新政府ではなく、当藩が払わなくてはならん」

その手付金の額は三十万ドルだった。五代も薩摩藩にはその金もないことを知っている。「どげんするつもりだ」と問われた五代が「オランダ領事で貿易商のボートワンから借り入れるつもりです」と答える。

五代が外国人貿易商の間で顔が売れていることは小松も知っていた。しかし追及の手を緩めずに問い質す。

「そのボートワンも、ただでは貸すまい。担保はどげんする」

すぐに五代の答えが返ってきた。「担保は天和銅山でごわす」と。自信満々な五代の顔を、小松は穴が開くほど見つめた。聞いたことがない鉱山だったのだ。子細に尋ねたところ、その天和銅山があるのは大和国だという。薩摩藩には縁もゆかりもない大和国の鉱山であるうえに、一応は全国の有名鉱山を知っている小松も、天和銅山という名に聞き覚えはなかった。

「その薩摩藩のものでもない、しかも寡聞にしておいはその名すら聞いたこともない鉱山が、どうして三十万ドルの担保になるのだ」

「天和銅山にその価値があるのを知っとるからです」

五代の言い方が頭ごなしになった。気を悪くした小松が「日本人であるおいが知らんことを外国人が知っとるっちゅうんか」と声を大にする。言い終わらぬうちに小松に倍する五代の大声が返ってきた。

「知っちょりもすよ。毛唐《けとう》（外国人）どもは。奴らをなめてはいかん。小松様、おいと一緒に来日したモンブランが、コワニエという鉱山技師を連れているのをご存知ですか。わざわざ本国から鉱山技師まで連れてきちょるんですよ」

五代を見つめる小松の眼に畏怖の念が宿る。「おはんも毛唐に見えてきたよ」と冗談めかして言った。

十二

十一月十三日、島津茂久を奉じた西郷吉之助は、三千の藩兵を率いて鹿児島を発《た》ち、京都へと向かった。

すでに大政奉還（十月十四日）の情報は入っている。五代は焦った。うまく時間を稼がれている、と感じた。

――やはり太守（島津久光）では一橋《ひとつばし》（徳川慶喜《よしのぶ》）の相手にならんな。

と、臍を噛んだ。

いま政局は京都の動きが焦点となっているが、次第に徳川慶喜の求心力が増してきて、島津久光などは、万事、慶喜のいいようにあしらわれ始めている。

十五代将軍となった徳川慶喜は、あらゆる工作を行って、幕府の延命に奔走していた。大政奉還もその一つである。反幕府派の要求に応じるように見せかけて、じつは幕府の権限を従来通りに温存しようとする策だった。

大政奉還は将軍位の廃位にすら触れていない。幕府を公府と言い換えただけのものである。いちおう天皇を元首としてあるが、その下で将軍が大名連合政権を率いることになっているのだから、これまでと何一つ変わってはいない。

——太守には薩摩に時間がないことがわかっとらんのだ。時間がたてばたつほど幕府が有利になることが。

早く一戦を遂げなければならなかった。天下を決める一戦を。

——いまが好機ではなかか、何をぐずぐずしちょっ。

五代は地団駄を踏みたいくらいだった。

ちょうど兵庫開港問題があって、諸外国の公使たちは、みな京坂神地区に集まっていた。彼らの目の前で天下を決める一戦を遂げ、幕府を倒して新政府を樹立しなければならない。外国に公認される新政府を。

その伸るか反るかの賭けを勝利に導くため、五代は自身が艦長を務める開門丸で畿内へ向かった。薩摩において、政治は大久保一蔵が、軍事は西郷吉之助が司《つかさど》っている。五代の使命は、その両巨頭を裏から助けることだった。

上海での約束通り、モンブランが五代に同行した。ジラール・ケンは鹿児島に残る。それがモンブランの指示によるものなのか、ケンの意志だったのかは、五代にもわからなかった。

慶応三年も押し迫った十二月二十八日に、五代の開門丸は兵庫の港に入る。モンブランだけでなく、ともに英国に渡った新納刑部、そして堀壮十郎も五代に同行した。

いま京都では幕府方と朝廷方が、王政復古を巡って、駆け引きに火花を散らしている。だが五代はそんなものには目もくれなかった。

――詔勅一枚で天下を動かせると思うちょるのか。そげな紙切れ一枚で世の中が変わるはずがあるまい。小御所会議だか何だか知らんが、大名と公卿が集もうて足の引っ張り合いをしてみたところで、一橋（慶喜）の思う壺にはまるだけじゃなかとか。

そのことは京都の西郷吉之助にも大久保一蔵にもわかっていた。わかってはいたが、倒幕派の薩摩には、避けては通れない道があった。

玉《ぎょく》だよ――と、京都の大久保から溜息が聞こえてきそうな一報があった。玉――とは天皇を指す。一藩に過ぎぬ薩摩長州が幕府に戦争を仕掛けるには、天皇の命令という形を取らなければ、薩長の方が謀反《むほん》人ということになってしまう。

当時、のちの明治天皇は十五歳の少年に過ぎず、父帝（孝明天皇）亡きあとは、長年の貴族社会の風習によって、外祖父の中山忠能《なかやまただやす》がこの「玉」を握っていた。この中山忠能は中世から全く進化していない京都公卿の見本のような人だ。

幕府との関係が緊迫してきたこのとき、朝廷の公卿と女官の多くが、本気で「延元《えんげん》の先例にのっとって天皇の比叡山《ひえいざん》動座」を考えている。「延元の先例」とは足利尊氏《あしかがたかうじ》の入京によって後醍醐《ごだいご》天皇が比叡山に逃れた史実で、なんと五百年前のことだった。頭の中身が五百年前のままの人に、欧米列強の脅威を説いたとて始まるまい。

いかに大久保一蔵でも中山忠能を動かすことは難しく、中山と大久保の間を斡旋したのが岩倉具視《いわくらともみ》である。岩倉もまた京都公卿だが、大久保も認めるほどの知略の持ち主で、朝廷では大いに異彩を放っていた人物だ。

しかしその岩倉が、徳川慶喜の巻き返しに圧倒されて、倒幕の矛先を鈍らせ始めていた。大久保には何も言わないが「薩長は本当に幕府に勝てるのか」と疑い始めていたのである。

「やはり岩倉も腰抜け公卿の一人に過ぎぬ」と、いまさら愚痴《ぐち》ってみたところで、事態は先へ進まない。幕府と戦うのに追討の宣旨《せんじ》（天皇の命令）は絶対に必要だ。薩長は官軍にならなくてはならない。ただし追討の宣旨が必要なのは、幕府との戦争に勝つためではなかった。紙切れ一枚で戦争に勝てるはずがない。だが勝ったあかつきには、官軍であることが大きくものをいう。幕府と薩長のどちらが勝つかと、固唾をのんで見守っている全国の大名たちが、「官軍の勝利」を聞くや、先を争って味方に馳《は》せ参じるに違いないからだ。

むろん賢い岩倉には、そんな理屈はわかっている。だが慎重なのか臆病《おくびょう》なのかはわからぬが、岩倉はどれほど大久保にせっつかれても、様子見の態度を崩そうとはしなかった。

岩倉をここまで恐れさせていたのは、フランスの軍事力である。情報を的確に把握していた岩倉は、フランス公使のロッシュが、幕府一辺倒なのを知っていた。ロッシュは徳川慶喜の相談相手であり、日本国の最高首脳であるはずの老中たちに、政治軍事を問わず、全ての重要な指示を与えていた。これを知っている岩倉は、うかつに幕府と戦おうものなら、海の向こうからフランス軍が攻めてくるのではないか、と案じていたのだ。

「それは岩倉卿の幻想です」

そう言い切ったのはモンブランである。兵庫に上陸した五代一行が入った小豆屋の一室には、新納刑部、五代才助、堀壮十郎のほかに、いま一人、モンブランと同じ西洋人が交じっていた。英国領事代理であり、グラバー系の商人であり、五代の碧い目の代理人であり、その時々で最も得な立場を取る英国人ラウダである。

モンブランの言葉に、英国人のラウダは微妙な言い回しで同意した。

「フランスが単独で日本を攻めるということはありません。今のところは」

十年ほど前のアロー戦争で、イギリスとフランスは共同して清国を攻め、首都北京を陥落させた。また、英仏両国はこの三年後にも、共同して清国を攻めている。ラウダの言い方は、フランスが単独で日本を攻めることはないが、イギリスが同調するならば事情はまったく違ってくる、と示唆しているように聞こえた。

ただし、英仏両国の対立は根深い。よほど利害が一致しないかぎり、共同作戦を取ることはなく、いま日本で起こっている幕府と薩長の闘争においても、英国公使パークスとフランス公使ロッシュの利害は一致していなかった。英国の領事代理であるラウダは「パークス卿とフランス公使との間で共同作戦の話し合いがもたれたことはありません」と断言した。

堀を傍らに引き付けてラウダの発言をいちいち通訳させていた五代が、ラウダに英語で尋ねる。

「いまパークス公使は大坂におられるのですね」

そのくらいの英語は五代にも喋れる。しかしこの日の会談は日常会話ができる程度では済まないのだ。

「公使はいま大坂です」と答えたラウダが、少し渋い表情になる。いま大坂には徳川慶喜がいた。パークスが大坂に入ったのは、フランス公使ロッシュが抜け駆けして慶喜と特別な条約を結ぶのを防ぐためである。つまり英国公使パークスは、幕府が勝っても英国の利権が損なわれぬように動いているのだ。

ラウダの返答を聞いた五代が、いよいよこの会談の核心に迫る点について尋ねる。

「公使パークス氏は当藩が依頼した『局外中立』について、なんとおっしゃっておられましたか」

ラウダの表情がますます渋く変わる。

「もし薩長が戦争に勝てば英国は『局外中立』を宣言する、と」

此処の遣り取りに、曖昧《あいまい》さは許されない。五代は堀を通してラウダが辟易《へきえき》するほど、何度も念を押した。

――英国が局外中立を宣言するのは、薩長が幕府との戦争に勝利した場合に限る。

堀の通訳によって英国の態度が明らかになると、新納刑部が失望の溜息を洩らした。薩摩は「戦争になったならば、勝敗のいかんにかかわらず、ただちに局外中立を宣言してくれ」と依頼していたのだ。

「これでは朝廷を説得でけん」

新納のつぶやきを聞いて、モンブランがフランス語のできるラウダに耳を寄せる。ラウダが堀に何事かささやき、その答えを聞いてから、新納の慨嘆をモンブランに通訳した。

「フランス公使ロッシュは以前から、日本国の唯一の政権は幕府であり、これと対等の交戦権は他のいかなる勢力に対しても認めない、と宣言しています」

そう語ったモンブランの顔が得意げに見えたせいか、新納が腹立たしげに五代へ問うた。

「なんか伯爵の顔を見ていると不安になってくるぞ、伯爵もロッシュと同じフランス人じゃろう。信頼できるのか、伯爵は」

五代は新納へ顔を向けたまま、モンブランの表情を探った。新納はわざとモンブランを伯爵と呼んだのだ。モンブランに自分のことが語られていると気づかせないためだ。

「いまは伯爵の力が必要です。フランスどころかイギリスからも局外中立が得られん、とわかった今では特に」

そう五代は答えたが、目前に差し迫っている問題を解決しなければ、薩長は開戦することもできない。開戦の口実を与えまいとして大政奉還までやってのけた徳川慶喜だ。時がたてばたつほど幕府が有利になっていくことを見通している。

――ぐずぐずしちょっと、こちらの負けだ。

腹をくくった五代が一座に呼ばわる。

「問題は岩倉卿だ。大久保さんが岩倉卿を説得できれば、追討の宣旨は薩摩に下る。官軍として幕府と戦争ができもす」

これを聞いた新納が「そげなことはわかっとる。じゃっどん大久保をしても岩倉卿を説得でけんから、いまの事態を招いているのではなかとか」と声を大にした。

「じゃっで簡単でごわす。岩倉卿を説得するのは。太夫、申し訳ありませんが京都へ入って大久保さんに会っていただけもすか」

「大久保ですらでけんことをおいが――」

と言いかけた新納を遮って五代が告げた。

「問題は局外中立です。パークスは『勝てば局外中立』と言った。それをちっと言い変えればよか。『戦争になったなら無条件に局外中立だ』と」

「それを岩倉卿が信じると思うか」

「信じもす。ここにおるラウダ氏を連れていけば」

ラウダはパークスと同じ英国人で、しかも領事代理だ。策士とはいえ外国の事情に暗い岩倉は、ラウダの言ったことならば疑うまい。英国は戦争が始まる前から薩長の味方だと信じるだろう。

五代の策を聞いた新納が「わかった」と腰を上げる。その場から京都へ向けて発った。一月二日の深夜のことだ。徳川慶喜がいた大坂を通れないため、新納たちは丹波路を迂回して京都に入った。決して安全なルートとは言えないはずだが、このころ京坂神では「ええじゃないか」と呼ばれる反幕傾向の強い大衆蜂起《ほうき》が続いており、もし治安が安定していたならば見過ごされなかったであろう薩摩藩士たちは、幕府方の眼に留まることもなく入京できた。

一月三日の夜、伏見と思われるあたりで、大きな火災が起きているのを、五代は遠望した。さらに大坂の薩摩藩邸が会津藩兵に焼き討ちされて、逃れた薩摩方は京都へ入ったとの情報も入る。どうやら始まったらしい。幕府と朝廷（薩長）との戦争が。だが交戦地と思われる鳥羽《とば》伏見《ふしみ》と兵庫との間は、幕府方が支配する大坂で遮られており、現地からの情報はほとんど入ってこなかった。勝っているのか負けているのかもわからない。

その三日の深夜、五代が逗留《とうりゅう》する小豆屋に、一人の男が闇に紛れて忍び込んできた。いきなり小豆屋の手代を捕らえて「五代に会わせろ」とささやく。手代の顔色が変わったのを見て「やはり五代は此処か」とほくそ笑んだ。

二階にいた五代のところへ、階段をのぼってくる足音が聞こえてくる。だが五代は振り返りもしない。小豆屋の手代だと思い込んでいたのだ。背後の足音が黒い影になって迫ったとき、その影の背が高すぎるのに気が付いた。佩刀をつかもうとして、その手を押さえられる。冷や汗がどっと噴き出してきた五代へ「おれだよ」と聞きおぼえのある声が響いてきた。声の主を振り返った五代が、安堵の息をついて額の冷や汗をぬぐう。五代の手を押さえていた声の主が、くすくす笑いながら言った。

「いかんなぁ、油断しちゃ。もしおれが斎藤辰吉ではなかったなら、あんた、お陀仏だったぞ」

「いたずらが過ぎるぞ、斎藤」

叱りつけるように言ったつもりが、声がかすれてしまった。これを聞いた斎藤辰吉が「ところが、いたずらじゃないんだ」と応じる。

「じきにこの小豆屋は公儀の捕り方に囲まれる。だから一足先に知らせに来たのだ」

「公儀はなぜおいに眼を付けたのだ」

五代の背筋が寒くなった。局外中立に関する小細工《こざいく》がばれたかと、首をすくめる。

——薩摩の味方と言われている英国ですら、今の段階では局外中立ではないと知られてしまっているとしたなら、現に鳥羽伏見で戦っている薩長軍も、官軍になりそこねているのかもしれない。

戦争が始まったからと言って、こちらの目論見通り、ことが運んでいるとは限らないのだ。三年前の禁門の変では、長州は官軍に討伐される側の朝敵となったまま、強引に戦争に持ち込み、そして大敗を喫《きっ》してしまった。しかも、今回の戦争には、イギリスの局外性の問題が絡《から》んでいる。もし薩長が負ければ、イギリスは方針を変えてフランスに同調し、薩長を攻めてくるかもしれない。

不安に胸が締め付けられた五代の耳に、斎藤の声が聞こえてくる。

「おれは『開陽』に乗り組んで此処まで来たのだが、大坂で上陸して鳥羽伏見付近の交戦地を偵察してきた。錦の御旗が見えたよ。薩長軍に」

五代が飛びつくように「本当か」と訊き返す。人はその知らせが良ければ良いほど、悪ければ悪いほど、訊き返したがるようだ。何度も斎藤に確認してから、ようやく五代は安堵の息を漏らした。その場にへたり込んだ五代の尻を叩いて斎藤が続ける。

「安心するのはまだ早い。公儀の捕り方が、もうすぐ此処に来る、と言ったはずだ。こんなところでぼやぼやしていると、薩摩の輝かしい勝利を牢屋か墓の下で聞くはめになるぞ」

「どっちも御免蒙りたい。とくに墓の下はな」

逃げ支度を始めながら斎藤に自分が眼を付けられた理由を尋ねたところ、開門丸が兵庫港に入ったのを幕府方に目撃されたためだという。

「五代さん、あんたは薩摩の武器売りとして知られている。公儀は開門丸が兵庫に入港したのを知って、薩長へ新しい武器が供給されると恐れたのだ」

「武器を運ぶつもりならば、もっと早く来とるよ」

五代はぼやきながら、護身用の六連発リボルバーを懐にしまった。

「上海で高杉さんからもらった土産だ。おはんのおかげで買えた、と高杉さんが言っちょったな」

ふと五代に懐かしげな表情が宿る。すでに高杉晋作はこの世にない。上海の光景と高杉晋作の姿が思い浮かぶ。もうあれから五年になるのか――と心中でつぶやきかけた五代の感傷に、水を浴びせるような声が聞こえてきた。

「五代さん、あんた上海に行っただろう。五年前のことじゃない。去年だ。去年の八月だ」

斎藤だった。幕府隠密《おんみつ》としての斎藤辰吉が目の前にいた。知っているのか、と五代が目顔《めがお》で尋ねる。斎藤は強くうなずき返した。

「ナポレオン山砲だよ、五代さん。あんたモンブランなる者から二十五門のナポレオン山砲を買っただろう」

正確な情報だった。これ以上ない正確な情報が、幕府隠密の斎藤に流れている。

「おれにその情報をもたらしたのは、上海に置いたおれの手下だ」

「ところがその手下」と斎藤は続ける。「英語もフランス語も喋れない。正確に喋れるのは日本語だけだ」と。

　何を言わんとしているのか、五代にもわかった。

「そのモンブランなる者、日本語を喋れるか」

　と、斎藤に問われて、五代は首を横に振る。

「ちっとは日本語がわかると思うが、情報を正確に伝えるのは――」

「ならばモンブランの身近に、その秘密を知りうる立場の者はいないか」

「おるよ」と五代は答えた。上海のホテルで、モンブランから武器購入したときの記憶がよみがえる。

　――あんとき、ちっとわからんかったことがあった。

　その後の多難多事に紛れて、五代も忘れかけていたことだ。

　モンブランが自分も日本に行く、と言ったとき、いつもは流れるように続く通訳の声が聞こえてこなくなった。あのとき、モンブランが何事か言ったのだ。己れの秘書であり通訳でもあるジラール・ケンに対して。

「おまえは日本に帰りたくないのか」とモンブランはケンに言ったに違いない。そしてケンはそれを否定した。否定せざるを得まい。

——じゃっどんケンは日本に帰りたくはなかったのだ。だからモンブランの来日の意志を知って、思わず通訳の言葉が途切れてしまったのだろう。

——なぜケンは日本に帰りたくなかったのか。

斎藤の手下である幕府隠密に情報を漏らしたのはケンだったからだ。シルクハットをあみだにかぶったケンの姿が、いまも五代の心に深く刻まれている。あのロンドンの安酒場の石油ランプに照らされたケンの姿は、確かにいかがわしかった。しかしあんな日本人はほかにはおるまい。あれほどヨーロッパの光景に馴染んだ日本人は。

「心当たりがありもす。モンブランの日本人秘書だ。日本語を喋れるどころじゃない。日本人なのじゃって」

そう発した五代が「証拠をつかむことができるか」と斎藤に尋ねる。

すると斎藤は残念そうに首を振った。

「その上海の手下、消えてしまったのだ」

ややあってから「口封じされたのかもな」と続ける。二人の間の言葉が途切れた。

斎藤が五代の背中を黙って押す。急げ、と。

　もうすぐ幕府の捕り方がやって来るのだ。五代は斎藤にうなずいてみせる。彼は開門丸に避難するつもりだ。開門丸が碇泊する兵庫港は開港地である。万国公法によって守られていた。日本唯一の正統政権を自認する幕府が、諸外国の艦隊の目の前で、万国公法を破って開門丸を拿捕するわけにはいかなかった。

「一緒に行こう」と、五代は当然のように斎藤を誘う。幕府隠密でありながら、五代の逮捕情報を、当の五代に漏らしたのだ。二度と幕府方に戻る気はないと考えるのが普通だが、斎藤はきっぱりと首を振ってみせた。

「いま五代さんと一緒に行けば、おれはただの間諜だ。そんな奴を誰が重んじてくれようか。おれは幕府方として今後も戦う。戻るよ、『開陽』に」

「じゃっどん」と五代は斎藤を引き止めた。

「今後も幕府方に留まるっちゅうことは、それだけ命の危険も増すっちゅうことだ」

「そりゃ当然だ。でも弾雨《だんう》の下を潜ってこそ、新しい道も開ける。もし途中で命尽きるなら、おれの運もそこまでだった、ということだ」

　すがすがしく斎藤は笑った。面白い男だ――と五代はうなる。

「御一新がなったあかつきには、おいの相棒になってくれ」

五代が力を籠めて斎藤の手を握ると、同じ力で握り返してきた。

「そもそもおれの運を開いてくれたのは五代さんだ。もし五代さんがいなければ、おれはあの千歳丸で、この世で最もバカバカしい死に方をしていたのだ。もし五代さんが祈ってくれるなら、きっとおれの運も開けるさ」

十三

翌一月四日。開門丸に引き上げた五代は、まるで開門丸の動きを見張るように碇泊している軍艦を目の当たりにする。幕府軍艦の開陽だ。

「そいにしてもでかいな」

開門丸の甲板で五代は声を上げた。その付近に碇泊する他の標準型幕府艦が、ひどく貧弱に見えた。英国で買った双眼鏡を開陽の砲門に向けた五代が、考え込む顔つきに変わる。開陽の積載砲がクルップ砲だとわかった。近ごろ薩摩でも英国通がにわかに増えていたが、彼らが判で押したように称賛するのがアームストロング砲である。

だがじつは欧州の軍事通の間では、英国製のアームストロング砲よりもプロイセン製のクルップ砲の方が、はるかに評価が高い。

開陽の艦長は榎本釜次郎《えのもとかまじろう》（武揚《たけあき》）であり、斎藤辰吉も乗り組んでいる。開陽の威容に圧倒された五代は、少し自信がなくなってきた。薩長は本当に勝てるだろうか、と。

――おいが思っちょるほど薩摩と幕府の間に、兵備の差はなかとかもしれん。

不安にとらわれた五代の背中から、ふいに聞こえてきた。

「シンパイ、シナクテ、ダイジョーブデス」

振り返るとモンブランがそこにいた。堀壮十郎が傍らに付き添っている。モンブランが旅支度であるのに気付いた五代が行き先を尋ねたところ、大坂へ行くという。大坂湾はいま開門丸の前に立ちはだかっている開陽をはじめとする幕府艦隊によって封鎖されていたが、外国商船ならば通れるのである。

大坂に入れば鳥羽伏見の戦況も正確につかめるはずだ、とモンブランは言った。だがその様子を見ていると目的はそれだけではないようだ。堀の英語を通して、少し苦労しながらその点について質すと、モンブランは心地よげに笑ってみせた。

「サッチョウの勝チ、シンパイ要《イ》ラナイ。モンダイハソノアト」

後になってわかったことだが、新設された幕府陸軍には大量の新兵器が入りつつあった。薩摩が戦闘の拠《よ》り所《どころ》とした四斤ナポレオン山砲の性能も幕府方は把握しており、小銃では薩摩のエンフィールド銃をしのぐシャスポー銃が導入されていた。これらの新兵器が、幕府方によって完全に使いこなされていたならば、薩長に勝ち目はなかったであろう。しかし幕府方の新兵器導入は少し遅すぎたのだ。大急ぎで導入したシャスポー銃も、ほとんど戦線で使われることはなかった。輸入されたものの梱包《こんぽう》が解かれることすらなかった場合もある。また、せっかくシャスポー銃を手に入れても、取扱説明書がフランス語で、誰にも読めなかったという例もあった。そんな状態だから、せっかく導入された新式兵器装備の部隊を指揮できる将校も、ほとんどいなかった。

モンブランの灰色の瞳は、そんな幕府方のお粗末《そまつ》ぶりを見抜いていたかのように「ソノアト」と告げたのである。

ソノアト、とは鳥羽伏見合戦後を指す。徳川慶喜が江戸に帰ったあとのことを言っていた。

ロッシュ・フランス公使は必ず大君（慶喜）の後を追って江戸に行くはずだ、とモンブランは睨んでいた。

だがそれが幕府の命取り——とモンブランは五代を祝福するように、その肩を叩いた。やさしい笑顔のはずだが、思わず腰が引けるような迫力があった。

じつはロッシュ公使の動向は、五代も心配していた。鳥羽伏見で乾坤一擲《けんこんいってき》の勝利を得ても、フランスとロッシュが幕府を支援する限り、箱根の坂から東を攻めるのは難しいと判断していたのだ。するとまたモンブランが発した。「シンパイナーイ」と。ケモノが吠えるように発してから、突然に声を潜めて「ナゼダカ、ワカリマスカ」と五代の顔を覗き込む。モンブランの灰色の瞳に吸い込まれそうな五代の耳に聞こえてきた。

「ロッシュはもうすぐ公使を馘《くび》になります」

一月五日の夜、五代のもとに薩長勝利の確報が届いた。一月八日に徳川慶喜が大坂を退去して江戸へ逃げ戻ると、己れがもうすぐ公使を解任されることを知らぬロッシュは、慶喜に徹底抗戦を勧めるため、そのあとを追った。ロッシュのいない間に、英国公使パークスが中心となって諸外国の局外中立が宣言される。江戸幕府が唯一無二の正統政権の座から滑り落ちたのはこのときだった。

第二章　思念の銃口

一

明治二年七月、五代才助あらため友厚は官員を辞め、野に下った。辞める少し前の四月に、東京で大久保利通に伝えた。

「おいは大阪に行きもすよ」

倒幕の戦争は鳥羽伏見一戦だけでは決着がつかなかった。その後も東北北海道で余燼《よじん》がくすぶり続け、新政府の事実上の最高司令官である西郷隆盛を苛々とさせた。しかし奥羽列藩《おううれっぱん》同盟も榎本武揚の蝦夷《えぞ》独立構想も、肝心の徳川慶喜がロッシュ解任によるフランスの方針転換によって抗戦をあきらめてしまったため、散発的なものに終わらざるを得なかった。

いささか新政府をてこずらせた東北北海道の内戦も終結のめどが付いたとき、五代は大久保に辞官を申し出たのだ。腑《ふ》に落ちぬ表情に変わった大久保が五代に質す。

「なぜ、大阪なのだ」

「次は大阪でしょう、大久保さん」

思いもよらぬほど力強い五代の声が返ってきた。

日本の未来を決める次の焦点は大阪だと五代は言っていた。五代の声は力強かったが、決してそれは大阪の未来が明るい、とだけ語ったわけではない。

もうすぐ戊辰戦争が終わる。その次が大阪だ、という意味でもあった。大阪で反乱が起きるわけではない。だが反乱が起きるよりも、もっと厄介《やっかい》な問題を大阪は抱えていた。

次の戦争は中国九州地方で起きる――と予言したのは、新兵器を駆使した戦争指揮では西郷をはるかにしのぐ、長州の大村益次郎である。その予感は大久保にも五代にもあり、目端《めはし》の利く者ならば、誰もが大阪に注目していたのだ。

中国九州地方で戦争が起きれば、大阪が兵站《へいたん》基地となる。その大阪に戦争で大儲けを目論む輩が、続々と集まりつつあった。

これらの事情は大久保とて百も承知だが、それでも腑に落ちぬ表情のまま五代へ質す。

「日本がこの先の五年十年を平穏に送れるとはおいも思っちょらん。大阪がこの国の焦点になるっちゅうのもわかる。天下の台所と言われる大阪が無茶苦茶にされたのでは、日本の未来も立ちいかなくなるじゃろう。じゃっどんなぜ官員を辞める必要があるのだ。おはんが大阪で成し遂げようとしちょる仕事は、官員のままでいた方がやりやすいと思うのだが」

五代の返事を待つ大久保の顔が気づかわしげに変わる。官員としての五代は、大変に有能だった。新政府から外国事務掛判事に任じられた五代は、鳥羽伏見合戦と兵庫開港が重なって続出した諸外国とのトラブルを、常に機敏《きびん》に解決してみせた。元年九月に従五位《じゅうごい》に叙《じょ》せられた五代は、すでに堂々たる政府高官である。

しかし五代の評判は芳しくなかった。とくに官軍として東北北海道に出征した武士たちの間で芳しくなかった。彼の出身藩の薩摩でも同様である。「五代はおいたちが命がけで戦っている間に、外国人に媚びへつらって出世しやがった。あいつは昔からそうだ。旧幕時代にグラバーと示し合わせて藩を食い物にしたのもあいつだ」と陰口を叩かれていた。

元年二月に堺事件と呼ばれる土佐藩兵によるフランス兵殺傷事件があったとき、切腹の決まった藩士二十人のうち九人を救ったのは五代の機転だった。次々と切腹が行われる惨状を見かねたフランス代表が、途中で退席してしまったとき、検死役の土佐藩家老は「ここで切腹を中止しては武士の名が廃《すた》る」として、残りの九人も腹を切らせようとしたのである。新政府の役人としてフランス側との折衝を担当していた五代は、土佐藩家老を強く制止した上で、ただちに退席したフランス代表から残る九人を助命するとした確認書を取り、切腹を中止させた。

だが五代の「外国流」のやり方が気に入られなかったのか、その処置を称賛する声はどこからも上がらなかった。

しかしいま大久保から「不満があるなら、何でもおいに言ってみろ」と気を遣われては、五代も返事がしにくい。いくら不満はありません、と答えても、大久保は納得してくれないのだ。仕方なく冗談まじりに言った。

「官員はみな、勲章をいっぱいぶら下げて写真を撮るでしょう、おい、あげなのが性に合わないんでごわす」

嘘を言ったつもりはなかった。

二

明治二年七月、辞官した五代が大阪の梶木町《かじきちょう》に居を構えたとき、すでにこの先の目途は立っていたと思われるが、しかし五代といえども、官員として彼が最後に果たさなければならなかった務めを、すぐには忘れられなかっただろう。

彼の官員としての最後の務めは、モンブランの追放だった。それはモンブランの一命を守るための決断だったが、円満とは程遠い結末を迎えた。

「ところでケンはなぜ死んだのですか」とモンブランから訊かれたとき、五代は「事故死です」としか答えられなかった。すでにジラール・ケンはフランス国籍を取っているという噂があった。もしそれが事実ならば、うかつに真相は話せない。ケンは奄《あま》美《み》群島にある鉱山探査を行うとして絶海に連れ出され、そこで船から突き落とされて死んだ。

日本への帰国を嫌がっていたケンは、決して日本人を信用していなかったはずだ。しかし薩摩藩はケンをモンブランと同じように西洋人並みに遇して安心させ、洋上に連れ出すのに成功したという。五代はケンを海へ突き落とした当人から、そのときの状況を聞かされている。

「あの野郎、海へ出てもシルクハットとフロックコートでめかしこんでいやがったよ」

と、その薩摩藩士は憎々しげに吐き捨てた。気取って洋上を望んでいたケンの背後から忍び寄り、油断を衝《つ》いてその背中を突き飛ばした。海へ転落したケンが日本語で叫ぶ。

「ぼくはフランス人だぞ！」

波間に浮かびながら死にもの狂いでジェスチャーするケンへ、刺客を務めた藩士は
「幕府の犬っころに日本人もフランス人もあるまい！」と応じて、海から這い上がろうと船端をつかんだケンの手を、重い船櫓《ふなやぐら》で叩き潰す。うわーん、と最後にケンは泣き叫んだそうだ。

その泣き声が聞こえた気がして、五代は耳をふさぎたくなる。

「あの幕府の犬っころが海の底へ沈んでいったのと入れ違いに、ぷかっと奴のシルクハットが浮かんできて、いつまでも波間を漂っちょったな」

遣り切れぬ思いでケン密殺の一部始終を聞いた五代だが、刺客を務めた薩摩藩士の話はそれだけでは終わらなかった。

「近々、海江田さんが入京しもす」

人斬り海江田信義の標的はモンブランだという。間もなくして海江田は入京してきたが、五代はモンブランの代わりに自分が海江田と会った。

人斬りとはいえ海江田は、話が通じる男である。だから世の中の動きや人の意見に一切左右されず、己れが絶対に正しいと信じて人を斬る、河上彦斎《かわかみげんさい》のような不気味さはない。しかしいま、道理があるのは海江田の方である。穏やかな笑顔でモンブランの引き渡しを要求する海江田は、背筋が凍るほど恐ろしかった。

「先生」と海江田は今も五代をそう呼ぶ。「太守の上意です」と続けた。

海江田にモンブラン密殺の指示を出したのは島津久光だと言うのだ。五代が首を横に振ると、予期に反して海江田の笑顔はますます親しげに変わっていった。

「この海江田、それほど馬鹿じゃあいもはん。ちゃんと証拠を残さんようにモンブランを始末しもすよ」

五代が拒否したのは、モンブラン殺害が国際問題に発展するのを恐れたせいだと、海江田は受け取ったようだ。

五代は不気味に底光りする海江田の瞳を見据えて、いま一度きっぱりと首を横に振った。

「そうではなか、海江田さん」

五代は島津久光の指示に異議を唱えたのだ。ケンが幕府に薩摩の情報を漏らしていたとしても、モンブランが関知していたかどうかはわからない、と。

「すると、先生はモンブランの味方か？」

海江田の瞳が、すっと狭まった気がした。その狭まった瞳の奥から、じっと五代を見据えている。

「モンブランを日本に連れてきたのはおいだ。責任はおいが取る」

狭まった海江田の瞳が、かすかに瞬きを続けている。「どげんして」と聞こえてきた。

「どげんして責任を取るのです、五代先生」

「モンブランがフランスに帰れば文句はあるまい」

五代は海江田を睨み返した。

「必ず責任を持ってモンブランをフランスに帰国させる」

だが五代は、モンブランに身の危険が迫っていることを伝えるわけにはいかなかった。薩摩がモンブランの暗殺に動いたと知らせるわけにはいかないのだ。この秘密を知らせずしてモンブランを帰国させるには、彼が来日した目的をつぶすしかない。五代はモンブランに通告した。

――京都兵庫間の鉄道ならびに電信の敷設工事は貴君には委《ゆだ》ねられない。

五代はモンブランとベルギーで結んだ契約を、有無を言わせず反故《ほご》にしてみせた。

明治二年三月、モンブランはフランスへ帰国する。さすがに何の土産も持たせぬまというのは心苦しく、以前に彼をフランス在住の日本総領事に任じるとした約束は守った。

このとき五代はまだ、いつかモンブランとの関係が修復できる日が来るかもしれないと思っていた。

しかしその願望は思わぬところから潰《つい》える。その日、東京滞在中の五代のもとに、意外な大物が駆け込んで来た。長州の井上馨である。かつて長崎で高杉とともに会ったとき、その抜け目なさにびっくりした相手だ。

ところがその井上が困り切った顔で助けを求めてきた。

「じつは」と井上が言うには、いま料亭で伊藤俊輔（博文）たちと飲んでいたところ、突然に押しかけてきた男があった。

「黒田了介（清隆《きよたか》）です」と漏らした井上馨は、おびえているように見えた。

「ひどく酔っ払っていましてな、黒田了介。箱館《はこだて》軍の榎本武揚を助命しろ、と怒鳴り込んできたのです」

井上に連れられてその料亭に駆けつけてみると、一座は水を打ったように静まり返っていた。その中で黒田了介の怒鳴り声だけが響いている。

「おはんら、今じゃ、木戸さん（孝允《たかよし》）に次ぐ長州の大立て者じゃろう。おはんらが木戸さんに榎本君の助命を頼んでくれたら、それでかたが付くんじゃ」

酔いに任せて黒田了介が凄んでいた相手は伊藤俊輔だった。五代を盾《たて》に井上が、黒田了介の前に立ちはだかる。いきなり邪魔されて、黒田は横っ面でも張り倒されたように、怒り出した。盃を投げつけようとしたその手が宙で止まり、酔眼《すいがん》を一度二度とこすった。ようやくつぶやく。「才助兄様」と。

五代が咎《とが》めごとを言ったわけではなかったが、黒田は一気に酔いがさめた様子で、今まで毛脛《けずね》むき出しに組んでいた胡坐《あぐら》を、そっと正座に直して畏《かしこ》まった。その黒田へ、穏やかに五代は言う。

「ちっと場所を変えて飲みなおさんか」

子犬のように従順になった黒田が、五代に従って出ていく。あとに残された宴席一座から、安堵の吐息が廊下まで聞こえてきた。

五代は黒田を別の料亭に連れ出して、差しで盃を重ねた。黒田はしばらく五代の顔色を窺《うかが》っていたが、五代は黒田の東北北海道における戦争指揮をねぎらう以外の言葉は発しない。安心した黒田の舌が滑らかになり、思わぬ情報を五代へもたらした。

「兄様、モンブラン伯爵との縁は切った方がよろしいですよ」

東北北海道を転戦していた黒田は、薩摩とモンブランをめぐる経緯は知らない。その黒田からモンブランの名前が出たことに、五代は奇異の念を抱いた。なぜだ、と尋ねた五代へ、黒田は告げた。

「榎本君から聞きもした」

その情報は箱館を拠点に最後まで新政府に抵抗した、榎本武揚からもたらされたものだという。

「モンブランを日本に送り込んだのはフランス皇帝ナポレオン三世らしかです」

「ならばこれ以上ないくらい安泰《あんたい》じゃなかとか」

当然のように五代が応じると、黒田は声を潜めて五代の顔を覗き込んだ。

「ところがその皇帝が危ないんでごわす」

事情がつかめず首をひねった五代へ、黒田は続けた。

「もうすぐフランスはプロイセンと戦争になりもす。欧州でも世論はフランス有利のように言っていますが、フランスの負けです。負けて皇帝も失脚しもすよ」

獰猛《どうもう》な面構えの黒田から、ひどく冷静な分析の声が聞こえてきた。フランス、プロイセン両国の体制の差、ナポレオン三世の内政外交の失政の数々。とりわけ五代をうならせたのは、両国の戦争に対する備えの差だ。プロイセンはすでに戦争の時期を想定して、輸送のための鉄道まで敷設するなど、着々と準備を整えているという。

「日本ではあまりプロイセンの兵器の優秀さも知られとりません」

そう黒田に言われて、五代は鳥羽伏見合戦のとき目撃した、榎本武揚が艦長を務める開陽を思い出した。

——あの巨大戦艦の搭載砲はプロイセンのクルップ砲だった。それも一門二門ではない。二十門近く搭載していた。

あれだけの数のクルップ砲を入手できたのは、プロイセンの軍事事情に精通していただけではなく、軍部にもクルップ社にも相当なコネクションを持っていたからであろう。

「ええことを教えてくれた、了介。おはんの言うとおりにしよう」

五代は黒田の酌《しゃく》をしてやりながら続ける。

「榎本武揚助命のこと、おいも力を貸すよ。大久保さんに働きかけてみる」

これを聞いて、黒田は破顔して頭を搔いた。

「助かります、兄様。おい、大久保さんが苦手なんでごわすよ」

五代と黒田は夜更けまで痛飲した。盃を重ねれば重ねるほど、五代の心からモンブランの風貌が離れなくなってきた。ケンの姿もちらちらと思い浮かんでくる。飲めば飲むほど酒の味は苦くなるばかりだった。

三

新政府が発足したばかりのころ、商都大阪でにわかに一人の商人の名がささやかれ始めていた。二百年以上の商業伝統を誇るこの大阪に何の地縁も持たず、取引の人脈すらないのに、いつの間にかその名を知られ始めていた。

もし旧幕時代だったならば、大阪に無縁なうえに氏素性《うじすじょう》すら知れぬ輩が、一人前の顔をして商売をするなど、決して許されなかっただろう。

しかしその商人は新政府が樹立されたとき、いち早くその財務責任者、由利公正《ゆりきみまさ》に取り入って大阪に地盤を築いてしまった。

どうやって取り入ったのか――を大阪商人たちが知ったとき、彼らのその商人に対する畏怖と嫌悪の念は、ますます強まった。

――あいつ、十五万両もの太政官札を金銀の地金と洋銀（メキシコドル）に替えてみせたらしい。

この噂を語った大阪商人の苦虫を嚙み潰したような顔が眼に浮かぶようだ。

太政官札とは新政府が成立したばかりのころ、戊辰戦争の戦費調達などのために発行された不換紙幣のことである。不換紙幣だから金銀の地金との交換はできず、当時の新政府には何の財政基盤もなかったから、この太政官札は下手をすれば紙くず同然になってしまう。その太政官札をその商人は金銀の地金と貿易通貨である洋銀に替えて、新政府に進呈してみせたのだ。

当の太政官札発行者である由利公正の喜ぶまいことか。すっかり由利のお気に入りになったその商人は、大蔵省に出入りするようになり、由利の失脚後もその羽振りは変わらなかった。

その商人は五代が高級官員だったときには、挨拶にすら来ようとはしなかった。ところが官員を辞した途端、五代の新居に豪華な引っ越し祝いを持って姿を現したのだ。

「岡田平蔵《へいぞう》でございます」

その商人は深々と頭を垂れたまま、五代の前に跪いて名乗った。それが近ごろ大阪の秩序を脅かすようにささやかれ始めた商人の名だった。

その岡田平蔵が五代の前にひれ伏している。まるで将軍の御前に出たかのような、仰々《ぎょうぎょう》しさだった。

「岡田さん、顔を上げてください」

何気なく声をかけた五代は、ちょっと油断していたようだ。気が付けば岡田は、ひれ伏した顔の陰から、じっと二つのまなこを光らせて、五代をうかがっていた。だがそれだけでは済まなかった。顔を上げた岡田には鼻がなかったのだ。鼻梁《びりょう》が溶けてしまったような岡田の顔が、ぬっと五代に迫ってくる。意外にもひどく明瞭な声音が聞こえてきた。

「先生、わたしはお役に立ちますよ」

五代は無言で岡田を見やった。しばらくは言葉が出なかった。岡田の周辺が翳《かげ》って見えた。触れるものみな不幸にしそうな不気味さが、その異様な風貌を見る者の心を凍えさせるのだろう。

岡田平蔵は官員を辞めた五代が次に何をしようとしているのかを知っていた。五代が最新式の金銀分析機械を英国から輸入して、造幣寮に分析を終えた金銀の地金を納める仕事をしようとしていることを知っていたのだ。

「先生、分析するにも材料がなくてはかないません。わたしが集めてごらんにいれます」

材料とは全国の雑多な貨幣のことだ。これらの貨幣を大量に集めて分析機械にかけて、金銀の地金に精製するのだ。

まだ五代が官員だったころ、新政府は規格の揃った貨幣を製造する機械がなくて困っていた。明治初年はもっとも通貨制度が乱れていたときで、かつて薩摩が極秘にやっていた貨幣偽造を各藩がおおっぴらにやっていた。

外国情報に通じている五代は、香港造幣局の機械が使用中止されてそのまま残っているのを知り、その導入を新政府に斡旋していた。しかし新政府の役人の大半は、造幣機械を脱穀機《だっこくき》かなにかと勘違いしている始末で、裏庭の納屋で開業しかねぬ様子だった。

造幣は大工場でなければできない——というところから説明しなければならず、五代の官員時代には、造幣機械導入にまで至らなかった。

大蔵省に出入りしていた岡田平蔵は、そこで造幣機械導入の内部情報をつかんだ。つかんだだけでなく、そこに金のにおいを嗅ぎ取った。

五代はなぜ岡田が自分に接近してきたのか気が付いている。

——岡田は金銀分析機械の輸入ルートが知りたいのだ。

その情報を入手したならば、すぐに独立して五代と同じ仕事を始めるに違いない、と見抜いていた。

「あんないかがわしい男となぜ一緒に仕事をするのですか」と堀壮十郎が尋ねたとき、五代は迷いなく答えた。

「あげな男と仕事をするために、おいは官員を辞めたんじゃなかとか。この大阪は官員様が上から見下ろしたって、どうにも治まらんところだ」

五代の予見した通り、岡田平蔵は二年もしないうちに五代から離れて、自前で金銀分析の商売を始めた。しかし五代はそのことで岡田を咎めようとは一切せず、逆に周囲の非難から岡田をかばってみせた。五代は言う。

「おいは岡田のせいで一文の損をしたわけでもなか。そいどころか岡田のおかげで新たな仕事の元手を作ることができたのだ。岡田は初めにおいに言った。『お役に立ちますよ』と。その言葉に嘘はなかった。岡田が全国から地金の材料になる貨幣を集めてくれんかったら、おいも分析機械を働かせることはできんかっただろう」

独立後、岡田は五代の前に顔を出さなくなった。五代の口から岡田の名が出ることもなくなり、岡田を要注意人物と見ていた堀壮十郎も、ようやく警戒の念を解き始めたころ、あの尾去沢《おさりざわ》鉱山事件が起きた。

大阪から遠く離れた東北地方の尾去沢で何が起きたのか、五代は全て知っていた。鉱山乗っ取りの張本人が岡田平蔵であることも、そのえげつない手口も。

四

明治四年、大阪造幣寮が完成した。五代の官員時代には完成しなかったが、しかし大半の役人が、その辺の納屋に機械を置いて仕事を始めるつもりだったことを考えれば、その進捗《しんちょく》はずいぶん速やかだったといえよう。

造幣寮は旧幕府御破損《ごはそん》奉行所材木置き場と藤堂《とうどう》藩蔵屋敷にまたがる五万六千坪の敷地に建てられた、巨大な工場群だった。官員を辞した後も、五代はその建設を陰に日向に助け続けただけに、その落成は感慨が深かった。

五代の勧めもあって、この造幣寮の照明はガス灯が用いられている。それだけではない。周囲の街灯としてもガス灯が設置された。

街灯はたった六十五に過ぎない。それでも五代は堀を連れて、青白い光を放つガス灯を見物せずにはいられなかった。

「ここだけロンドンになったみたいだな」と、五代は堀に笑いかける。

「堀、ロンドンでいちばん思い出に残っとることは何だ」

弾むような声の五代に尋ねられる。その堀の脳裏には、あの光景が宿っていた。同じ照明でも煌々たるガス灯ではなく、薄暗い石油ランプの光。そしてその石油ランプに照らされた、二重瞼がぱっちりとした中国系の美人。

顔さえ気に入ればその美人の尻を追いかける五代の「悪癖《あくへき》」は今も治っていない。それどころか高級官員になって軽はずみなことができなくなると、堀に下見をさせるようになっていた。美人の噂を聞くと堀に下見をさせて、自分の好みに合っている女性かどうかを確かめさせるのだ。堀はこの下見役が嫌で仕方がなかったが、いつも五代に拝み倒されて、しぶしぶその片棒を担いでいた。

溜まった鬱憤《うっぷん》を皮肉に換えて一言返してやりたかったが、いま五代はガス灯の光に照らされて子供のようにはしゃいでいる。子供のような五代に、美人局《つつもたせ》のことを持ち出すのは、あまりに野暮だ。

そんな堀の心を知ってか知らずか、せっつくようにまた訊いてくる。

「堀、ロンドンでいちばんの思い出は何だ」

五代が何と返事してほしいのか、わからぬ堀ではない。その脳裏から石油ランプに照らされる妖艶《ようえん》な美人が消えて、地面の下から別世界が飛び出てきた光景がよみがえる。五代の期待通りに堀は答えた。

「地下鉄です」

「堀、おはんもそうか」

他の答えは許さなかったくせに、五代はさも驚いたような顔で相槌を打ってみせた。

「この大阪に地下鉄が走るのはいつの日かな」

いまだ日本では地面の上の鉄道すら走っていない。翌明治五年、やっと新橋横浜間の鉄道が開通する。

「むかし尊王攘夷派の輩に、外国と戦っても勝ち目がないことをわからせるのに、何を例に取るのがいいのか悩んだもんだ」

ガス灯の下で五代がふいに言い出した。

「すぐに頭に浮かんだのが地下鉄だ。じゃっどんすぐにあきらめたよ。汽車すら見たことがない奴らに、その汽車が地面の下を走っとるところなど、どげんして説明すればよかのか」

　また、五代がまぶしげにガス灯を仰ぐ。その足元に黒い影が見えた。まっすぐ五代の方へ迫ってくる。堀がすばやく懐のピストルを握った。抜きかけて、その影の正体に気づく。五代の書生だった。

「馬鹿者」

　堀がその書生を叱りつける。

「用があるときは、先に声をかけろ。ものも言わずにいきなり先生の前をふさぐ馬鹿がいるか」

　いまだ世情は騒然《そうぜん》としており、巷《ちまた》では不平士族やら戊辰戦争後に行き場を失った軍隊上がりやらが、要人襲撃を繰り返していた。懐のピストルから手を離した堀が、忌々しげにその書生に用件を尋ねる。堀に叱られた書生は、恐縮しながら告げた。

「あの、先生に面会したいという方が見えていますが」

「こんな場所に来ているのか」

　堀が不審げに眉をひそめる。五代が書生に問うた。

「客人の名は」

「中野梧一《なかのごいち》、という方です」

これを聞いて五代は首をひねる。

「聞いたことがない名だな」

堀が五代の横顔を鋭くうかがう。五代が軽くうなずき返すと、堀は書生に命じた。

「五代氏は此処には来ておりません、と言って追い返せ」

書生が立ち去るのと入れ違いに、すぐそこから聞こえてきた。

「追い返せ、とはひどいなぁ」

聞き覚えのある声だった。先程まで書生がいた場所に、いつの間にか背の高い影法師が立っている。その正体を知った五代が、飛びつくように駆け寄った。

「斎藤じゃなかとか」

ガス灯の光の下に、断髪洋装姿に身仕舞いを改めた斎藤辰吉が姿を現してきた。四年ぶりの再会だったが、斎藤——いや中野梧一は昨日も会ったかのような気軽さで五代に告げる。

「身仕舞いを改めたついでに名前も変えたんだよ」

鳥羽伏見合戦の混乱時に、兵庫の小豆屋で会った際、斎藤は榎本武揚が艦長を務める開陽に戻った。その後、榎本軍に従って東北北海道を転戦したという斎藤辰吉の情報は、戦地の混乱に掻き消されるように途絶えてしまった。榎本軍の降伏後も、その消息は不明なままで、戦死したのか捕虜になったのかさえわからなかった。

「名前を変えざるを得なかったからな。徳川が逆賊みたいになって」

斎藤辰吉あらため中野梧一の表情が翳った。あのとき――兵庫の小豆屋で別れたとき、弾雨を潜らなければおれの運は開けない、と五代に告げた言葉がよみがえる。だが生死の境をさまよう日々が平穏であったはずがない。

「とにかく無事でよかった」とねぎらう五代の横顔に、傍らの堀もほだされてしんみりとする。堀は懸命に斎藤辰吉の行方を捜していた五代を、すぐそばで見ていた。

名前が変わってしまっていたのでは、いくら捜しても行方がわかるはずがない――と口にしかけて、堀がちょっとだけ首を傾げる。べつだん大きな疑問ではない。ただ少しだけ気にかかったことがある。

――東北北海道の官軍の参謀は黒田了介ではないか。

あの黒田が参謀なのに、なぜ斎藤の消息が全く分からなかったのだろう。

――黒田の奴、斎藤辰吉が中野梧一と名前を変えたことがわからなかったのか。案外に使えない奴だな。

いささか腹立たしくなった堀の耳に、五代の声が聞こえてくる。

「斎藤――いや、中野、覚えとるだろう。一緒に上海に行ったときに目の当たりにした光景を。日本も『官』が『民』を引っ張るのではなく、英国のように『民』が『官』を引っ張る国にならんとダメだ、と語り合ったことを。ジャーディン・マセソン商会だ。他の者にはとても口にできぬ名だ。アヘン売りと勘違いされてしまうからな。でもおはんには言える。この大阪にジャーディン・マセソン商会みたいな会社を立てよう」

「おお、是非に」と感激した中野の声が響いてきた。もらい泣きしかけた堀が、忙しく頭を働かせ始める。金銀分析で元手を作った五代が、次に着手していたのは鉱山事業だ。

――ジャーディン・マセソン商会まではまだ遠い。だが鉱山事業が軌道に乗れば。

と意気込んだ堀の目の前に、不審げな五代の顔がある。

「どこへ行くのだ」と中野に問うていた。聞き逃していた五代と中野の遣り取りが、堀の耳に残っていた。

――三年待ってくれ。

そう中野は五代に言っていたのだ。三年もどこへ行くのだ、と訊かれた中野が答えた。

「山口だ」

「山口って、あの長州の山口か」

中野梧一は山口の事実上の県令として赴任するという。

この人事は間もなくして、世間にも広まった。中野は幕臣である。それも最後まで官軍に抵抗した榎本軍の一員だった。

もともと幕府と長州は、この上なく仲が悪い。幕末には二度も幕府による長州征伐があったのだ。その長州山口の県令に旧幕臣の中野が赴任するという。東京でも大阪でもこの人事は奇異の念をもって迎えられたが、やがて中野を県令に推薦したという大物の名も聞こえてきた。

井上馨である。井上は函館戦争で捕虜になった中野の器量にほだされて、これを山口県令に抜擢したそうだ。

その美談を額面通りに受け取るかどうかは別にして、堀にはひとつだけ疑問が解けた気がした。なぜ東北北海道の官軍参謀だった黒田了介が、斎藤辰吉あらため中野梧一の消息をまったくつかめなかったのか——についてである。

——箱館で捕虜になった中野の身柄は、長州によって秘匿《ひとく》されたのではないか。もしそうだとしたならば、薩摩の黒田に情報は伝わるまい。

あの造幣寮でのガス灯見物の夜、山口県令に赴任すると告げた中野は、一人の男を五代に紹介した。そのさい中野は「この男をおれの代わりに大阪に置いていく。五代さん、面倒を見てやってくれ」と言い置いていった。

中野に呼ばれて招き入れられた男もまた、出身は長州だった。

「藤田伝三郎《でんざぶろう》と申します」と名乗ったその男は、まるで土方《どかた》の親分みたいな風貌だった。しかし腰は低い。身なりもよかった。

「藤田君、名前は聞いとりますよ」と五代から声をかけられると、這いつくばるようにお辞儀をした。そのしぐさも、うずくまったケモノのように見える。卑屈に従属しているようにも、相手の喉もとへ襲い掛かろうとしているようにも見えた。

その後、花街で遊んだときにも、藤田は中野に飼われているかのように従っていた。

酒席で二人が知り合ったいきさつを堀が尋ねたところ、中野よりも先に藤田が「長州で知り合った」と答えてきた。それ以上訊くな、と言われた気がして堀も黙る。

その夜の酒席で中野が五代に忠告した。

「五代さん、もっと身辺の警護には気をつけなきゃだめだよ」

中野が指摘したのは、ガス灯見物をしていた五代に、中野の来訪を取り次いだ書生の手際の悪さだった。

「あの書生、どう見ても素人だな。とても護衛の役には立たん」

ひどく実感がこもった言い方だった。

中野は素人ではない。だから山口県令に抜擢されたのだ。その使命は長州の監視である。いま長州では新政府に反対する勢力が強まっており、しかもその中心は奇兵隊などの旧隊士たちである。すでに明治三年には大規模な反乱まで起きていた。中野の任務は長州内の不穏を探り当て、小さな不穏ならば迅速に始末し、大きな不穏だったならば、ただちに新政府に報告することであった。

これは素人にできる仕事ではない。また、よほど長州の内情に通じている者でなければ務まらない。

中野を長州に送り込んだのは井上馨である。井上にとって中野こそが適任だったのだ。その任務に長じているうえに、長州人ではない。同じ長州人だと前原一誠《まえばらいっせい》のように不平派と結びついてしまう恐れがあることを、長州出身の井上は嫌というほど知っていたのである。

一度、堀はさりげなく五代に訊いてみたことがある。

「中野さん、三年たったなら本当に大阪に戻ってきますかね。中野さんとその周辺、わたしには胡散臭い気がするのですが」

すると五代は諭すように答えた。

「中野は元の幕臣だ。薩長出身の者よりよほど分が悪か。胡散臭いことの一つや二つ、大目に見てやらんか」

五

三年しないうちに大阪に五代を訪ねてきた者がある。中野梧一ではない。井上馨だった。明治六年五月のことだ。

五代の前に現れた井上は、手刀で首を叩く真似をして言った。

「官員を馘になってしまいましてな」

ひどく軽い言い方だった。

「そこでわたしも五代先生に倣って、この大阪で商売でも始めようかと思いまして」

なんとなく厚かましい印象だが、それでも聞く者を圧倒する雰囲気が井上にはあった。

「この大阪はもはや五代先生の口利きなしでは、商売できぬと聞いています」

「よしてください。閣下」

ここでうっかり五代が井上に「閣下」と言ったものだから、延々と井上に付け入られる羽目に陥った。

「ところがわたし、もう閣下ではないのです。いま、申しましたように官員は馘ですから」

長州閥の中では、木戸孝允に次ぐ大物は伊藤俊輔（博文）と、いま五代の目の前でまくし立てている井上馨である。

大蔵省を牛耳る井上は切れ者の評判が高かったが、同時に黒い噂も絶えなかった。

彼は政敵の江藤新平《しんぺい》に尾去沢鉱山事件を突き止められ、激しく弾劾《だんがい》されて、官員辞職に追い込まれたのである。

「尾去沢鉱山の件は岡田平蔵がやったことで、わしは知らんがな」

独り言のようにぼやいた井上馨の眼は、よそ見しようとしていた五代にじっと注がれていた。

「でも、岡田平蔵、使える奴でしょ」

ふいに井上の口調が変わった。人の心を見透かすような視線を向けられ、五代はどきりとする。

世間を騒がせた尾去沢鉱山事件は、井上馨の悪行として大きく取り沙汰《ざた》されたが、確かに井上は岡田平蔵に名前を貸しただけである。この事件は岡田による盛岡の南部藩御用商人鍵屋《かぎや》所有の尾去沢鉱山強奪を指す。岡田は鍵屋が南部藩に差し出した借金証文を入手すると、借金をした南部藩の方が貸したと記す当時の慣習を百も承知で、その証文に記された借金のかたに尾去沢鉱山を取り上げたのだ。

実際は借りてもいない金を返せと迫って、そのかたに大鉱山を取り上げる無茶を押し通すことができた背景には、むろん井上馨の権力があった。

――岡田平蔵のけつ持ちは井上馨だ。

と知らしめたこの事件は、商都大阪を震撼させた。このころすでに五代は大阪の取りまとめ役としてその秩序維持に眼を光らせていたが、大阪豪商を代表して住友の総理代人、広瀬宰平《さいへい》が五代のもとに相談にやって来て、その指示を仰いだ。

五代は「商売の基本は競争のはず」と岡田排除を突っぱねたが、同時に岡田の動きをすべて把握していることを示して、広瀬を安心させた。

岡田がこの大阪に根を下ろすきっかけになったのは、十五万両もの太政官札を金銀地金と洋銀に替えたみせた一件である。どうして岡田にはそんな芸当ができたのか。

「岡田はまず東北地方を回って生糸を集めた。現物（生糸）はあっても現金がない生糸農家の足元を見て、太政官札と生糸を替えたのだ。そして買い取った生糸を横浜に持ち込み、これを外国商人に売って金銀地金と洋銀に替えたというわけだ。外国商人との取引が怖くなかったかって？　岡田はもともと横浜の売込商だったんだよ。しかも奴は貿易のイロハも知らずに売込商に手を出す馬鹿じゃない。ちゃんと手引きする者がいた。米国の商会に勤める益田《ますだ》孝《たかし》という人だ。元の幕臣だが、この人は英語がペラペラなうえに貿易のやり方もよく知っている。この益田孝と組めば、岡田もおかしな貿易商にだまされる恐れはない、というわけだ」

その岡田平蔵が、またもや五代の前に姿を現したのは、五代が弘成館《こうせいかん》を設立しようとしている頃だった。五代が広瀬宰平ら大阪財界の大立て者に囲まれているときをわざと選んで、岡田はその不吉な風貌を現した。一座から舌打ちが聞こえてきそうだったが、岡田はその場に連なる豪商たちの心を逆撫でするように発した。

「五代先生、またわたしがお役に立つときがまいりましたね」

このとき、五代は弘成館設立に向けて、その資本金を募っていた。しかし日本全国の鉱山開発を目論む弘成館は大事業であり、大阪の豪商たちといえども、なかなか五代の要請に応じきれないでいた。

「五代先生、この岡田平蔵にお任せください」

鼻が欠け落ちているくせに、相変わらずその声音は明瞭だった。

「五代先生の弘成館は大久保閣下をはじめとして、新政府の方々みな注目されていると聞いています。それほどの大事業であるにもかかわらず、出資に応える者がいないとあっては、大阪商人の恥さらしです」

一座がどよめき立つ。その場の豪商たちの険しい視線が集まると、岡田はせせら笑うような猫なで声を出した。

「おや、この場にお集まりの皆様。すでに弘成館への出資を決心されましたのか。もし由緒《ゆいしょ》正しき皆様との間で話がまとまっているのならば、この平蔵、ただちに退散つかまつりますが」

「岡田君」と五代がこれを制しようとしたとき、我慢ならぬ様子で広瀬宰平が声を荒げた。

「ええ加減なことを抜かすな、岡田。あぶく銭つかんだだけのおまえが当家（住友）にも難しい出資ができるというのか」

これを聞いた岡田が、その不気味な眼ざしを広瀬に据える。岡田の翳に引きずり込まれたように、広瀬の顔が蒼ざめた。舌なめずりをして岡田が言った。

「住友さんにできないことが、わたしごときの野良犬にできるはずがないじゃないですか」

小馬鹿にした言い方だったが、広瀬の口は痺《しび》れたように動かなかった。もはや岡田の眼中に広瀬は入っていない。広瀬に背を向けた岡田が仰いでいたのは五代一人だけだった。

「先生、弘成館への出資は小野組がさせていただきます」

またもや、一座がざわめく。だがもはや「どういうことだ」と岡田に詰め寄る者はいなかった。小野組――と聞いても五代が少しも驚かないのを見て、岡田は満足した様子で付け加えた。

「先生、明日、小野組の印鑑を預かる者を先生のお屋敷にうかがわせます」

勝ち誇った様子で岡田が去っていく。その後ろ姿を憎々しげに見送った一座の者たちが、蹌踉《そうろう》と五代の傍に集まる。広瀬が一座を代表して問うた。

「岡田の奴、いつの間に小野組に食い込んでいたのですか」

小野組は三井組と並び称される天下の大豪商だ。しかも鳥羽伏見合戦が起こったとき、いち早く官軍に味方して、その軍費を賄ったため、維新後は飛ぶ鳥を落とす勢いとなった。確かに小野組ならば弘成館に出資することも可能だが、なぜ岡田ふぜいが小野組を動かせるようになったのか。一座の眼ざしを集めて、五代が口を開く。

「諸君、小野糸店の古河市兵衛《ふるかわいちべえ》をご存知でしょう。小野糸店が南部藩の盛岡に支店を置いていることも」

これを聞いて勘のいい連中は、すぐに互いに顔を見合わせてうなずき合った。

小野組の商売は両替と生糸を二本の柱としている。いま、五代が名前を出した古河市兵衛は、生糸商売の事実上の最高責任者だった。小野糸店、中でも古河はとりわけ支店のある盛岡との縁が深く、東北地方が地盤だったのだ。

「思いだしてほしい」と五代が皆の顔を見回す。岡田平蔵が十五万両の太政官札をどこで生糸に替えたのか。

ここまで聞けば、勘のよくない連中も、どうして岡田が小野組とつながったのかわかった。太政官札を生糸に替えるとき、岡田が組んだ相手が古河だったのだ。

「となれば、五代先生」

突然に素っ頓狂な声を上げた者がいる。見るからに大阪の若旦那といった風情の商人が、さも得意げに続けた。

「例の尾去沢鉱山事件のときも、岡田に鉱山のことを教えたんは古河やったんではありまへんか。盛岡に拠点を置いていた古河が、尾去沢鉱山のことを知らんわけあらへん」

その若旦那があまりに得意満面だったので、五代も大げさなまでにうなずいてやる。

苦笑した広瀬が耳打ちしてきた。

「あの若旦那は加島屋の主人です」

多忙な五代は加島屋の若旦那のことはすぐに忘れてしまったが、明治六年一月一日、五代待望の弘成館が設立された。資本の半分は五代の手持ち資金であり、すでに五代は金銀分析で得た元手で松友社という鉱山事業を起こしていた。

松友社の鉱山事業の中心は大和国の天和銅山である。幕末に五代がモンブランから百十万ドルもの武器を購入して当時の薩摩藩家老小松帯刀の目を回させたとき、五代が手付金三十万ドルの担保にした鉱山だ。大和国とその周辺山地（吉野、高野山）は古代からの銅産地だったが、この鉱山の鉱脈の大きさに最初に気づいたのは、おそらく外国人鉱山師である。五代がこの鉱山の責任者にしたのも、モンブランが連れてきた鉱山技師コワニエだった。

五代はこの松友社を発展的に解消して弘成館を設立したのだが、この巨大企業の残る半分の資本金は小野組によって提供された。

弘成館が設立されると、真っ先にこれを歓迎したのは大久保利通である。資本主義育成を国家戦略としていた大久保にとって、弘成館は模範企業だった。資本主義に則った会社とはこうやって作るのだと、商都大阪に示してみせたのだ。外国製最新機械の導入から欧米流会社組織に至るまで。

また鉱山業は自前の重工業が育つ以前においては、第一の基幹産業だった。現代の日本は全くの資源小国だが、当時はその逆で、地下資源発掘による産業育成の資金獲得が目論まれていたのである。

五代の弘成館が設立された大阪へ、ひょっこり井上馨がやって来たのは、そのわずか数か月後だった。東京の大久保利通によれば「井上は尾去沢鉱山事件のほとぼりをさますために下野しただけだ。おりを見て政界に復帰するだろうから案じるには及ばない」とのことだった。

しかし五代の周囲は、いかに大久保のお墨付《すみつ》きでも、額面通りには受け取り難かった。岡田平蔵が井上馨の権力を背景に羽振《はぶ》りを利かせ始めているとき、ご本尊の井上馨みずからが乗り込んできたのだ。

――これは長州の陰謀だ。井上馨は薩摩の五代さんを追い出して、この大阪を乗っ取るつもりに違いない。

この忠告を五代は何度聞かされたことだろうか。そのたびに五代は「あまり、びくびくするな。そんなありさまでは、ことの本質を見誤るぞ」と、側近の大阪商人たちをたしなめた。

弘成館事業でも五代の片腕となっていた堀は、井上の出現によって浮足立つことはなかったが、それでも複雑怪奇なここまでのいきさつの整理は必要だと感じていた。

「井上さんといえば、誰知らぬ者もない三井組のけつもちでしたよね」

井上馨は西郷隆盛から「三井の番頭さん」と皮肉られたほどの三井贔屓《びいき》だった。

「その井上さんがなぜ小野組と関係が深い岡田平蔵にあれほど肩入れをし始めたのか」

岡田が動かし始めた小野組と、井上が贔屓にする三井組は、大手両替商の双璧である。つまり互いに利益を食い合う競合相手であるため、両者は大変に仲が悪かった。

「何かが起こりそうですね、先生」

堀に水を向けられて、五代は悠然とうなずく。

「何が起きるか待つしかなかよ、堀」

六

待つほどもなく同じ年の七月、第一国立銀行設立に際して、三井組と小野組の共同出資が発表された。当時、五代は小野組の後見役を務めており、小野組の参入に一役買ったのは五代その人だと取り沙汰されていた。しかし三井組の意向に反する小野組参入が、井上馨の同意なしに実現するはずはなく、井上の真意を測りかねた人々によって、様々な憶測が飛び交った。

だが舞台裏がどれほどどきな臭くとも、日本国に単一市場を形成し国家経済の安定を図るための銀行設立は、この国の悲願でもあったのだ。この第一国立銀行は日本銀行発足以前の紙幣発行銀行であり、信用できる通貨を日本全国に流通させることを目指していた。だからこそ江戸時代からの両替商の双璧であり金融界を牛耳ってきた三井組小野組双方の出資が不可欠だったのだ。

「まぁ、御一新といっても」

東京での設立総会に出席する前に、五代は堀に溜息まじりに告げた。

「内実は室町時代の足利将軍家と、あんまり変わらないよな」

足利将軍の室町幕府には自前の国庫がなく、土倉と呼ばれた大手金融業者にこれを肩代わりさせていた。このたびの第一国立銀行も三井と小野の金で設立されたのだ。

しかし設立総会に行ってみると、そこに集っていた官界財界の重鎮たちは全員断髪洋服姿だった。会場の洋館には室内用のガス灯がともされ、椅子に座った出席者が机に置かれた資料をめくってみたところ、それはタイプライターで打たれていた。

多忙な五代はしばしば東京と大阪の間を汽船で往復していたが、この日も総会当日になって駆けつけ、少し遅刻して会場に入った。煙管《キセル》を咥《くわ》えて一服しようとして、机に置かれているのがガラス製の灰皿だと気づいた。

――えらく洒落《しゃれ》たもんを置いちょるが、昔からの煙草盆じゃないと灰を叩き落とせんのだよな、煙管は。

むかしから愛用している煙管をふかしながら周りを見まわしたところ、どの出席者も葉巻か紙巻、そうでなければパイプをふかしている。

――おはんら、本当に好きで葉巻や紙巻を吸うちょるのか。

声に出して言ってやりたいところだが、そういうわけにもいかず、五代はそっと係員を呼んで煙草盆を持ってこさせようとした。その五代の煙管を持つ手が止まる。広げた資料に記された資本金の額が眼に入ったのだ。

――ずいぶん中途半端な額だな。

確か二百五十万円と聞いていたのに、二百四十四万なにがしとなっている。五代の視線が総会を仕切る男に向けられた。先程からずっと資料に眼を落としたまま、詳細について説明を続けていた。

——あれが渋沢栄一《しぶさわえいいち》か。

五代は煙管をもてあそびながら、設立された第一国立銀行の総監を務める渋沢栄一を見やった。いかにも切れ者の官員出身者らしく、洋装が板についた男である。

五代は煙草盆をもらう代わりに、渋沢の補佐役を務める者を呼んだ。中途半端な資本金額について質す。二百五十万円で発足したかったが集めることができなかった、と聞かされた。

「ならば足りない分はおれが払うよ。こんな中途半端では国家の門出として、いささか体裁《ていさい》が悪い」

五代の太っ腹に驚いた補佐役が、渋沢の隣に戻ってこれを知らせる。資料から眼を上げた渋沢に、補佐役は五代の座った席を示そうとしたが、遅刻して入った五代は会場の後ろの方におり、その姿は他の出席者に遮られて見えなかった。渋沢がうやうやしく席を立つ。五代に礼を言おうとして、その姿を探した。見つけられなかったのか、とりあえず深々と頭を下げた。これを見た五代が会場の後ろの席から煙管を立てて合図しようとした。腰を上げた瞬間、煙管から灰の塊がぽとりと落ちる。あまりそういうことは気にしないたちだが、ここは「失礼」と挨拶するのが妥当だろうと発しかけたところ、この厳粛《げんしゅく》な場にそぐわぬ素っ頓狂な声が聞こえてきた。何者だ、といぶかしむ間もなく、渋沢だと分かった。

どうしたのだ、と渋沢を見やったところ、今度は五代を指さしてきた。失礼な奴だな、と腹を立てかけた五代に向かって、渋沢のさらに素っ頓狂ぶりを増した声が響いてきた。

「あんたはあのときの、ふーあーゆー！」

はじめ五代は何を言われているのかわからなかった。だが今までの切れ者ぶりを忘れて素《す》に返っている渋沢を目の当たりにした五代は、以心伝心というのか、なぜ渋沢が五代の顔を見てびっくりしたのかわかってきたのである。しかしいまは設立総会の場だ。五代は今もびっくりした顔で彼を見つめている渋沢へ、助け舟を出すように告げた。

「渋沢先生、その話はまた後で」

総会が終わった後、五代は渋沢から別室に招かれた。行ってみると、すっかり恐縮した様子の渋沢が待っている。テーブルにケーキとコーヒー、そしてガラスの灰皿が置いてあったので、五代は煙管を取り出しながら声をかけた。

「また粗相をしてしまうといけないので煙草盆をいただけますかな」

みずから煙草盆を持ってきた渋沢が、なんと声をかけてよいのかわからぬ様子で、煙草盆を差し出す。煙管を咥えた五代が、カラカラと声を立てて笑った。

「いやぁ、あの十年前の箱根山の刺客、覆面の下はこんなお顔だったのですね」

面目ない、と口ごもった渋沢が、ぼそぼそと語りだした。尊王攘夷の風が吹き荒れていたあの頃、自分もすっかり志士気取りだったこと。薩英戦争で英国の捕虜になった売国奴がいると聞いて、その名も知らずに仲間と連れ立って斬りに出かけたこと。五代たちの潜伏情報が手に入ったのは、自分も五代の潜伏地だった熊谷の近くの出身で、生家の豪農が手広く商売をしていた関係で、その商売網を利用する目明しの組織と関係があったため、などを語った。

「ああ、そういえば」と五代は思いだした様子で応じた。

「あのとき、わたしに同行してくれた熊谷の吉田二郎が、あの刺客のなまりは北関東のものだと言っていました。十年ぶりに謎が解けてすっきりしましたよ、渋沢さん」

渋沢さん、と気安く呼んでくれたのが良かったのか、急に渋沢の舌も滑らかになった。

「わたしが今日あるのは、ひとえに五代さんのおかげです。あのとき、わたしは五代さんから発せられた『ふーあーゆー』の意味すら分からなかった。あの一言がわたしに気づかせてくれたのです。尊王攘夷の愚かしさを。あの頃のわたしの仲間には、天狗《てんぐ》党や天誅組に加わった者がいました。相楽総三《さがらそうぞう》の赤報隊《せきほうたい》に入った者もいました。いま、みんな墓の下です」

そう言って渋沢は首をすくめるしぐさをした。思わず苦笑いして五代を見やる。わかってくれますよね、とその眼ざしが語っていた。

にっこり笑ってうなずき返した五代が、コーヒー茶碗を手に取る。

「わかりますよ、渋沢さん。でもまだ終わったわけじゃない。これからだって、きっとまた起きますよ、とんでもないことが」

「何が起きるでしょうか」

渋沢に問われ、五代はコーヒーを啜ってケーキをほおばった。

「そんなこと、わかるわけがないじゃないですか。神様じゃないんだから。何か起きたなら、起きたときに、ただあたふたと駆け回るだけです」

そのざっくばらんな言葉を聞いて、渋沢の表情が和む。煙管を咥えた五代が煙草盆を叩きながらコーヒーのお代わりを頼む。和洋ごちゃまぜの取り合わせだ。

「好きなものを喫《きっ》していたらこうなりました。時々『おまえ、洋なのか和なのか、はっきりさせろ』と非難されます。ちなみに酒ならばどっちもいけますよ。ビールだろうがブランデーだろうが焼酎《しょうちゅう》だろうが泡盛だろうが、何でもこいです。そうやって暮らしていると、たまに自分はいったい何者なのだろうか、とわからなくなる時がありますす」

ふざけているようにもぼやいているようにも聞こえたが、磊落《らいらく》な五代の別の一面を垣間《かいま》見たようで、渋沢は返答に詰まってしまった。返事に迷っているうちに、突然に思いだした。まだいちばん大切なことのお礼を言っていないことに。

「資本金のこと、有難うございます。恥ずかしながらわたしの力不足で、当初の目標額を集められず、いささかみっともないことになっていました」

数万の金をポンと出してみせた五代に、設立総会に集まった官界財界の歴々みな、圧倒されてしまった。

「あんな芸当は大阪を束ねる五代さんでなければできません」

その富豪ぶりを集まった者みな羨《うらや》んだという。すると五代はこともなげに応じた。

「わたしは金なんか全然持っていません」

金銀分析で儲けた金はすべて松友社に注ぎ込み、そこで増やした金を今度は弘成館の資本金としてすべて投じた。だから手元にはまったく金などないが、それでも五代は大きな金を動かすことができた。

住友をはじめとする大阪の豪商たちに声をかければ、数万くらいならば集まったのだ。弘成館のようにその額が大きすぎると、ちょっと難しくなってしまうが。

住友などは、とりわけ五代の影響が大きい。住友の稼業の中心は別子《べっし》銅山（愛媛県）だが、これは古くからの住友の山である。しかし江戸時代と同じように掘っていたのでは、とても新時代に適応することなどできない。最新の鉱山機械（蒸気ポンプなど）の輸入と、これを使いこなせる外国人鉱山技師の招聘《しょうへい》が不可欠だった。貿易には現代でも大きなリスクが伴うが、明治初年のこのころでは、よほどの外国通でない限り、機械輸入や技師招聘はできなかった。下手に手を出せば、おかしな技師を呼んでしまったり、全然意図していなかった機械をつかまされたりする。

五代友厚は一介の薩摩藩士だったころから、トーマス・グラバーのビジネスパートナーを務め、上海に渡航して現地での汽船購入を成功させ、薩摩留学生を引率してヨーロッパに渡ったときには、機械や兵器の買い付けから商社契約交渉まで行っている。そのため来日している外国商人たちに顔が利いたのだが、そればかりではなく薩摩出身で倒幕にも功績のあった五代は、大久保利通を代表とする政府の薩摩閥とも太いパイプを持っていたのだ。

七

明治七年一月五日のことだ。その日、五代は朝からひどくそわそわしていた。何かが気にかかって仕方がない様子である。

先程から立ったり座ったりを繰り返し、やたらと煙草をふかしていた。どうやら堀壮十郎を待っているらしい。

となれば弘成館のことか。五代は東京に弘成館の支社を出し、福島の半田銀山を開発させていたが、なかなか業績が上がらないでいた。あるいは新政府に急変でもあったのかもしれない。前年十月、征韓論に敗れた西郷隆盛が薩摩に帰っただけでなく、同じく新政府の参議だった江藤新平が佐賀で反乱を起こす気配があるという。

だが、待ちかねていた堀が姿を現したとき、腕組みして煙管を咥えていた五代の顔が、急にやに下がった。とても他の政財界人には見せられぬ表情で堀を招き入れる。思いきり声を潜めて「どうだった」と発した五代の様子は、堀にとっては毎度おなじみだ。

眼のぱっちりした美女の噂を聞いて堀を下見に行かせたとき、五代はこんな顔つきをする。いつもいつも女衒《ぜげん》みたいなことをさせてすまないなと詫びつつも、まだ見ぬ美女への期待を目いっぱい膨らませているときの顔だった。

五代は人の表情を素早く読み取る機敏な男だったが、このときはよほど美女への期待が大きかったのか、堀の顔つきがいつもとは違うことに気づかなかった。もう一度、女の首尾を尋ねようとして、強く堀に遮られる。どうした堀、と訊く前に、色惚けしていた五代に水を浴びせるような堀の声が響いてきた。

「岡田平蔵が死にました」

ようやく五代の顔つきも改まる。まともな死に方ではないとわかったからだ。無言で五代は堀に続きを促す。

「銀座の煉瓦街で死体となって発見されました」

まだ続きがありそうだ。五代が目顔で尋ねると、堀もうなずき返す。

「岡田の亡骸《なきがら》はすでに汽船で大阪に送られています。大阪で死んだと発表されるとのこと。遺族の希望だそうです」

宙を睨んだ五代へ堀がささやいた。

「先生、ひとつ気になることがあります。じつは少し前、岡田から連絡があったのです。先生のお耳に入れたいことがあると言っていました。先生が東京に出張しておられたときなので、その旨を伝えたところ、何の返事もありませんでした。あの男の失礼は今に始まったことではないので、わざわざ知らせるにも及ぶまいと思って先生にもお伝えしなかったのですが、今になってみるとひどく気にかかります。もしや、岡田は先生の後を追って東京に行ったのではないのでしょうか」

岡田の死を調査するよう堀は勧めていた。ひとつうなった五代が首を横に振る。調査は大久保の内務省に依頼しなければならないが、いまにも佐賀で内乱が勃発《ぼっぱつ》しようとしているときだ。余計な負担はかけたくなかった。

「そっとしておけ」という言い方を五代はした。

岡田を殺したいと思っている者など多すぎて、とても探しきれるものではあるまい、という思いもあった。だがそれよりも大きかったのが、たとえその死の真相がわかったとしても、それが本人のためになるのだろうか、という疑問である。

「そっとしておいてやれ」

五代は繰り返し、そこまで言われれば、堀になお調査を主張する意味はなかった。

それから間もなくして佐賀の乱が勃発した。

——これは予行演習だ。

大阪の五代も、政府の大久保も、そしてこの乱でひと稼ぎを目論む連中も、そう思ったに違いない。もちろん西郷隆盛の西南戦争の予行演習だ。

むろん五代が最もその動きに注意したのは井上馨だった。当時、井上は先収《せんしゅう》会社というのを設立していた。最初、五代が井上から相談を受けたとき、鉱山を中心に事業を行うつもりだと言っていた。しかし鉱山をやらせるつもりだった岡田平蔵が急死したため、急遽規模を小さくして商社のようなことを始めたのだ。

「官員を馘になった」井上の官界への影響力は全く衰えていなかった。井上と先収会社の動きを見張っていれば、政府の動きも簡単につかめた。佐賀の乱の勃発も、先収会社の米の買い占めの動きで、ほぼその時期を正確につかめたのだ。

しかし井上の動きは意外におとなしかった。米などの軍需物資を買い占めて戦地へ輸送したくらいで、ほかに目立った動きはなかった。

佐賀の乱のとき、兵站基地となった大阪と戦地佐賀の間の輸送に大いに働いたのは、山口県令に赴任していた中野梧一と、彼が大阪に残していった藤田伝三郎である。

この戦場稼ぎが始まるとき、五代のもとに藤田伝三郎が挨拶に来た。

「五代先生のお許しをいただきたくてまいりました」と藤田は真剣そのものの顔で言った。しかし長州と大阪の間の運送ルートを把握しているのは藤田であって、五代には何の口利きも手助けもできない。

常に五代の傍にある堀には、やはり井上馨の予想外に静かな動きが気になった。大阪の目付役である五代に遠慮しているように見える。そう見せかけて井上と同じ長州出身の藤田が、井上の手先として、五代をだます策略をめぐらせるために接近してきた気がしてならなかった。

五代は藤田の腹を探るような真似はしなかったが、一度、長州奇兵隊の生みの親である高杉晋作との思い出を語ってみせたことがある。するとたちまち藤田は食いついてきて、五代の倍の勢いで高杉との思い出を語りだした。

高杉が挙兵したとき、真っ先にこれを支持したのは、藤田のような瀬戸内海の交易業者たちだった。彼らはこの長州革命によって、新しい商機をつかんだのである。

「ありがたいお方です。高杉先生は。木戸閣下よりも、高杉先生の使い走りだった伊藤閣下よりも、そして」

ここで意外に愛嬌《あいきょう》のある顔になった藤田は、わざとらしく声を潜めて続けた。

「井上閣下よりも――」

いま藤田伝三郎は井上の先収会社にいる。井上に推薦したのは五代だが、なぜ五代が推薦することになったのか五代自身にもわからない。「大阪を束ねる五代先生の顔を立てて」ということらしいが、いささか腑に落ちなかった。そんなときは何かが起きるものだが、待ち構えていても何も起こらず、間もなくして佐賀の乱も平定された。

八

佐賀の乱があっけなく終わったのは、幕末明治維新の真打ともいうべき西郷隆盛が動かなかったからである。そのせいで得をした人、損をした人、様々に大阪は入り混じっていたが、五代の周辺には格別の問題も発生していなかった。

業績が悪かった東京の弘成館の支社も次第に軌道に乗り出し、五代には次の事業を考える余裕も生まれた。「染色事業はどうだ」と腹心たちに提案していたのである。当時インディゴと呼ばれたインド製藍が日本に入ってきていたが、五代はこれならば日本でもすぐに産業として育成でき、輸出品になるのではないか、と考えたのだ。

言葉は悪いが「隙間産業」である。英仏に負けぬ輸出競争力を身に付けるには、普通の繊維工業では難しく、先進諸国があまり手を付けていない分野を狙ったのだ。

「とにかく今の日本には金がない。官も民も金がない。だからこそ輸出だ、貿易だ」

薩摩出身の五代は、貿易は安く仕入れて高く売るというシステムさえ整えることができたならば、どれほど儲かるかを知っていた。亡父から聞かされていたこともあれば、みずから体験したこともある。かつて借金まみれだった薩摩藩は、密貿易によって、あっという間に立ち直ったのだ。

だが官界財界を見回しても、なかなか貿易を上手に手掛けられる人材が見当たらない。五代が指導する大阪など特にそうだ。商人の町と呼ばれているにもかかわらず、いや、その伝統があるがゆえに、まるで商売のすべては大阪にあるような考えから抜け出せないでいた。

五代はこれまで幾度、そんな大阪商人のありさまに失望の溜息をついたことだろう。さすがに面と向かっては言えなかったが、このままで措《お》けないと思わざるを得なかった。

――いくら大阪の伝統に従って丁稚奉公をやっても、算盤《そろばん》が速くはじけるようになるだけじゃなかとか。手代にしごかれても兄弟子の顔色をうかがうのがうまくなるだけじゃなかとか。修業が厳しいっちゅうが、どうもおいの目には、その修業とは、飯を食うとき兄弟子よりも後に食膳に付き、兄弟子よりも早く食べて片づけることが第一のように見える。飯を食うのがどれほど速くなったって、外国と渡り合って商売することはでけんぞ。

けっきょく貿易商社もおいが始めるしかないな、と感じながらも、五代は日々の仕事に追われる毎日を送っていた。東京に弘成館の支社を出してからは、大阪と東京の間を往復する回数が増えた。行ったり来たりのとんぼ返りである。

――まぁ、東京で遊んだことがないとは言わんが。

などと言い訳する相手の堀壮十郎が、いきなり東京築地の五代別邸に駆け込んで来た。

ちょうど、五代は朝食を摂っているところだった。トーストにベーコン・エッグ。格別に洋食が好きというわけではなかったが、五代はコーヒーに眼がなく、これに合う食事となると、白飯とアジの開きというわけにはいかない。

「なんだ、朝っぱらから」と堀に声をかけたつもりが、いきなりその背中を押しのけて躍り出てきた男があった。

渋沢栄一だった。かつて第一国立銀行の設立総会で会ったときのように、上等のフロックコートを着込み磨き上げた革靴を履いていたが、ネクタイはよじれワイシャツの裾はズボンからはみ出ている。

――おや、おや。

五代は最初、噴き出しそうになった。渋沢は血相が変わっているではないか。まぁ、昔の尊王攘夷志士に返っておれを斬りに来たわけではあるまい、と渋沢に笑いかける。

「渋沢さん、一緒に朝飯でもどうですか」

するとその場に立ち尽くしていた渋沢が、いきなり堀を指さして叫んだ。

「五代さん、人払いをお願いします」

五代のコーヒー茶碗を持つ手が止まった。渋沢に命じるように告げた。

「この堀はわたしとは一心同体の者です。この者には何を話しても大丈夫です」

これを聞いた渋沢が、腰砕けのように傍らの椅子にへたり込む。大きく息を吐いて五代を見つめた。

いったい何が起きたのであろうか。五代は初め、渋沢が自分に助けを求めに来たのか、と思った。血走った眼で五代を見つめる渋沢を安心させるようにうなずいてみせる。なんでも言ってください、と微笑んだ五代の耳に聞こえてきた。

「小野組が潰れます」

悠然《ゆうぜん》としていた五代が、あっけにとられて渋沢を見つめ返す。いま小野組は三井組をしのぐほどに羽振りがいいはずだ。天下の金を握っているのは、第一国立銀行に共同出資した小野組と三井組であり、中でも小野組は全国の三分の二の県に進出して、その公金を一手に取り扱っていた。つまり中央地方の国庫県庫を運営しているのは事実上小野組ということだ。

そうだろ、という五代の表情に苛立った渋沢が、身を乗り出して声を押し殺す。

「五代さん、よく聞いてください。小野組が握った、その三分の二の各県に、大蔵省が一斉に指令電報を打ちました。小野組に預けてある金を一文残らず引き上げよ、と」

当時はまだ地租改正が完全な形で施行されておらず、多くの県で江戸時代と同じように現米の年貢が納められていた。小野組はこの現米を現金に替える仕事を請け負っていたのだが、この現金（各県の租税）は小野組に無利子で融資されていた。これは江戸時代の両替そのもので、そのころから幕府の大阪廻米を扱ってきた小野組にとっては、仕事相手が幕府から新政府に変わっただけとしか考えられなかったはずだ。

――どうやら、新政府は小野組を乗っ取るつもりらしか。

えげつないな、と五代は内心でうなった。どんなに金に困っても、幕府だったならば決してやらぬことである。

そんなことをやるのは、と五代が渋沢の顔を見たところ、「いまお話しした情報、出どころは言えません」と渋沢の答えが返ってきた。聞かなくてもわかっている。井上馨だ。第一国立銀行は「官員を馘になる」前の井上と渋沢によって設立が計画されたのだ。

押し殺した渋沢の声が消え、あたりが静まり返る。部屋にじりじりとした空気が流れだした。せかすように渋沢が五代をうかがう。五代はナイフとフォークを握ろうとして、そのまま置く。冷えたコーヒーを啜《すす》りかけたとき、たまりかねたように渋沢が叫んだ。

「五代さん、なぜ、わたしがこの話を五代さんにしたのかわかっていますよね。わたしは五代さんに借りがあります。だから絶対に外には漏らしてはならぬ秘密をお話ししたのです。すぐに――」

渋沢がはじかれたように椅子から立ち上がった。五代の肩をつかんで揺さぶるように告げた。

「すぐに弘成館の小野組出資分を返却なさい。さもないと巻き添えを食って弘成館も潰れますよ」

それだけ言うと渋沢は蹌踉《そうろう》と立ち去って行った。去り際の渋沢のつぶやきが、五代にも堀にも忘れられない

――五代さんが東京にいてよかった。もし大阪だったならば、間に合わなかっただろう。

食べかけの朝食をそのままにして、五代は席を立つ。堀が給仕に命じて、五代のフロックコートなど洋装一式を運ばせる。

これから金策だ。一時間も無駄にはできないときだが、支度をする五代に堀は言わずにはいられなかった。

「やっとわかりましたよ。十か月前、岡田平蔵が先生に何を知らせようとしたのか」

九

五代が堀を伴って、岡田平蔵の遺族を訪ねたのは、弘成館の小野組出資分を無事に償却《しょうきゃく》し終えてからすぐのことだ。明治七年十一月の小野組破産は世間を驚かせたが、五代の弘成館はすんでのところで巻き添えを免れた。

五代から岡田の遺族を見舞いたいと告げられて、堀は深々と頭を下げて詫びた。

「先生、申し訳ありません。もし十か月前、岡田が先生に会いたいと言ってきたとき、わたしがすぐに東京の先生にその旨を知らせていれば、岡田は死なずに済んだかもしれません」

その堀の気持ちに嘘はない。しかし五代が岡田平蔵の話を蒸し返してきたとき、堀にもぴんときたはずだ。十か月前「そっとしておけ」と命じたのに、なぜ今になって岡田の遺族を訪ねる気になったのか。そこで堀は先回りして五代に言ってみた。

「わたしが先生の代理として岡田の遺族を見舞いましょうか」

これを聞いて五代は苦笑する。

「おはんが考えている理由からだけじゃなか。岡田の遺族を見舞いたい、っちゅうたのは」

堀の念頭にあった岡田の遺族を訪ねる理由。それは岡田を消した者が誰なのか、再び探り始めることだ。五代も堀も気が付いている。このたびの事件の狙いが破産した小野組だけではなかったことに。五代友厚もまた狙われていた可能性が出てきたのだ。

顧《かえり》みてみればこの事件の起こったタイミングも絶妙である。大久保利通が台湾出兵の後始末のために清国へ出張し、日本を留守にしている間に起きている。

この堀の詮索を聞いた五代は「考えすぎだ」と一笑に付したが、堀一人を連れて人目を忍ぶように東京に住む岡田の遺族を訪ねた。

岡田平蔵の遺族は細君と男の子が一人だけだった。使用人も通いの者しかいないのか、訪ねて行ったとき、家内はひどくひっそりとしていた。怪死を遂げたとはいえあの岡田の遺族が金に困っていることはあるまいと思ったが、念のために堀が細君に遠まわしに尋ねてみる。すると細君は少しも隠さずに、岡田の莫大な遺産額を口にした。少し慌てた堀が、口に栓をするしぐさをして、細君をたしなめる。

「あまりそういうことは簡単に口外なさらない方が」

持て余し気味に堀は声を小さくしたが、岡田の細君を一目見たときから、意外の念が心に兆し、同時にこの一件の調査の面では期待できない気がした。

あらためて岡田の細君を見やれば、男の子をあやすしぐさも、ひどくのんびりとしていて、どうしてもあの岡田と結びつかなかった。もっと油断のならぬ花柳界出身の美女が出てくるだろうと思っていたのだ。

少しも垢《あか》抜けぬ岡田の細君が、ぽつりぽつりと岡田の思い出を語りだす。

「あの人、あんなご面相でしたけど」

鼻かけ平蔵が顔を出すだけで、あたりが静まり返った光景が、五代にも堀にもよみがえってくる。

「いや、あんなご面相だったからこそ優しかったのではないのでしょうか。わたしに対してもこの子に対しても」

岡田の細君の眼ざしが一粒種の男の子に注がれる。見たところ五歳くらいか。

「ほんとうに子煩悩《ぼんのう》な人でしたよ。もう目に入れても痛くないくらいにこの子を可愛がっていました」

ひどくその場がしんみりとしてきた。なんとなくきな臭い話を持ち出しにくくなっていたが、訊かぬわけにもいかない。岡田の細君だけが知っている情報があるかもしれないのだ。井上馨――について。どんな小さなことでも構わないので聞かせてくれ、と頼んだところ、岡田の細君は目を丸くして答えた。

「主人は井上閣下と知り合いだったのですか」

思わず堀は五代と顔を見合わせる。落胆した堀の肩を叩いた五代が、二人を見上げている眼に気が付いた。岡田の遺児である。五代がその小さな手に土産に持ってきたキャンディの包みを置いた。

「坊や、元気でな」

岡田邸を出た五代が沈痛な面持ちに変わって堀に告げる。

「あの母子を守ってやれ。陰からそっと守ってやれ」

十

何者が五代を狙ったのかは、その後も杳《よう》として知れなかった。明治七年の一月に岡田平蔵を消した者の狙いが、小野組だけだったのか、それとも本当の標的が五代その人だったのかもわからなかった。

小野組を狙った者は、はっきりとしている。井上馨だ。第一国立銀行を設立したときから小野組を乗っ取るつもりで、三井組との共同出資を小野組に持ちかけたのだ。

だから三井組は破産を免れている。三井組も新政府から融資金の全額を担保として提出するよう要求されたが、オリエンタルバンク（英国東洋銀行）から融資を受けて虎口《ここう》を脱していた。

オリエンタルバンクを三井組に紹介したのはもちろん井上馨だが、オリエンタルバンク側の代理人は、あのトーマス・グラバーだった。彼のグラバー商会は幕末期に幕府と薩長の戦争が長期化すると読んで、大量の武器を買い込んでいた。しかしその見込みに反して戊辰戦争の決着がすぐについてしまったため、膨大な在庫を抱えた挙句に武器の値が暴落して、グラバー商会も倒産してしまった。

五代は長年のビジネスパートナーだったグラバーに、五代自身が関わっていた鳥羽伏見合戦の裏工作を一切洩らさなかった。

グラバーは自分に日本人妻まで世話してくれた五代を、心から信じていたのかもしれない。しかしグラバー商会が倒産しても、グラバーとその周囲からは、五代への恨み言ひとつ聞こえてこなかった。ただ、維新になってから、二人は一度も会っていないだけだ。

商会倒産後もグラバーが日本通の英国人として、外国商人の間で重宝されていたことは、もちろん五代も知っていた。しかしオリエンタルバンクの三井組への融資がらみでその名が出ると、ひどく不吉な印象がしてくる。まるでグラバーが井上馨と組んで、五代に復讐しようとしているように思えてくるのだ。

もちろんグラバーは五代の弘成館のことなど知るはずもない。だが井上馨の方はどうか。

「先生、弘成館が助かったのは運が良かったからだけです」

堀壮十郎は五代に嫌がられても繰り返した。

ほんとうならば弘成館も、小野組の巻き添えを食って倒産していたのだ。この罠を仕掛けた者も、さすがに五代と渋沢の偶然の関係まではつかめなかったのだろう。

確かに井上馨のような大物が、小野組を乗っ取るためとはいえ、岡田平蔵ごときの始末に手を染めたりするだろうか、という疑問はある。

しかし岡田殺しに隠された真の狙いが、五代友厚であったとしたならばどうであろう。

「井上閣下ならば自分は表に出ず、誰かに命じて岡田を始末させるなど容易《たやす》いはずです」

そうまで堀が言ったのは、井上馨には動機があったからだ。五代が大阪で眼を光らせていると、井上の先収会社の動きが制約されてしまうのだ。この先収会社もすぐ後に三井系（三井物産）となったように、井上は徹底して三井を引き立てていた。

「井上閣下ならばやりかねません」

だめ押しするような堀の言葉を、敢えて五代も否定しようとはしなかった。

十一

大阪の重鎮とたたえられる五代友厚だが、その日々は伸るか反るかの連続である。商都大阪の治安を守り、己れの事業を発展させ、さらには最高レベルの政治にも関与しなければならない。

この明治七年の暮れから翌年の初めにかけて、大久保利通が五代邸に長期滞在した。このとき大久保と息を合わせるように別の大物が来阪したことがひそかにささやかれ出すと、大阪の町は俄然色めき立った。

いま一人の大物とは長州の木戸孝允だったのである。

大久保と木戸が手を結ぶ――これが何を意味するかわからないようでは、とても大阪で一旗揚げることなどできまい。

「それが商人っちゅうもんです」と五代が言うと、来阪した大久保は「そりゃ、ハゲタカじゃろう」と応じた。

「じゃっどん大久保さん。金っちゅうのはハゲタカがおらんと集まらん。ハゲタカが太らんと鉄道、電信、港湾施設などの社会資本も整わんのです。なぜならそれらの社会資本を建設するのは、その大規模工事が請け負えるまでに太ったハゲタカたちなのですから。資本主義はハゲタカが集めた金が育てるんですよ」

日本の資本主義育成の最高責任者である大久保は、五代に説教されて苦い表情になったものの、この場は一歩譲るしかない。「まぁ、その辺のことはおはんに任せる」と答えた。

ハゲタカたちはなぜ大久保利通が木戸孝允と会談するのかを知っている。喧嘩《けんか》別れした木戸を政府に呼び戻すためである。なぜ木戸を呼び戻したいのか。長州一の木戸を仲間に加えて薩摩と長州の連合政権である政府を一本化するためだ。なぜ一本化する必要があるのか。

――西郷隆盛である。

薩摩の西郷と戦争するためだ。

これが明治維新最後の、そして最大の内戦になる、と目端の利く者ならば、誰もが読んでいた。この日を待ちに待っていたハゲタカどもが、うじゃうじゃと集まりだしたが、大阪の大資本家のほとんどは五代が束ねていたため、その動きも自然に五代の手に収束されることになる。

「おはん、腕利きじゃのう」と大久保は褒めてくれたが、五代には商人たちの動きを御する前に、やっておかねばならぬことがあった。言うまでもなく、大久保木戸二大巨頭の会談の根回しである。木戸側では伊藤俊輔と井上馨が動いていた。五代は伊藤井上の両名との折衝を担ったのだ。

だからこのころ五代はしばしば井上と会っている。五代も井上も目が回るほどに忙しかった。天下を決める巨頭会談の成否が、この根回しにかかっているのである。二人ともそのほかの話題など口にしようがない。口にしようがないが、それでも五代はその糸口をうかがっていた。

——井上さん、もしや岡田平蔵を消したのはあんたなのではないか。

と、尋ねる糸口を。

その機会はもちろん来なかった。

大久保木戸会談の根回しに忙しいからといって、他の仕事をなおざりにするわけにもいかない。だから堀も毎日のように顔を出す。五代は堀の顔を見ただけで、たいてい用件の見当はつく。

前に一度、堀が岡田の死を知らせに来たときは不覚を取ったが、この日はすぐに見抜いた。誰かに面倒なことを頼まれたな——と。ひどく恐縮している堀から、五代は話を聞き出した。

堀の話によると——加島屋の御寮人なる何某《なにがし》が、家業を立て直すべく単身筑豊《ちくほう》炭田に乗り込もうとしている。いくら止めても聞かないので、大阪の重鎮であり鉱山経営で知られた弘成館の主でもある五代の口から、よく説き聞かせてほしい——ということだった。

「こんなつまらぬ事で先生の手を煩わせたくなかったのですが」

住友の広瀬宰平の口利きだから仕方なく取り次いだ、と堀は詫びた。

「広瀬さんも恐縮しきりのご様子でした。『本来ならば自分が教え聞かせなければならない立場なのに』と。広瀬さんのお話によれば、その加島屋の御寮人、女とは思えぬ利かん気だとか」

なぜ住友の広瀬がそこまで加島屋の御寮人の面倒を見なければならないのか質した

ところ、その御寮人は三井家の出であるとのこと。

「ああ、なるほどね」と五代は合点した。三井家に対して住友の広瀬が知らぬ顔をするわけにもいくまい。

だから仕方なく五代は、その加島屋の御寮人と会った。勢い込んでやって来たその御寮人は、五代の前で直立不動になると、いきなり名乗った。

「わたくし、広岡浅子《ひろおかあさこ》と申します」

思わず噴き出しそうになるほど力みかえった彼女は、とても豪商の御寮人には見えず、その枠からはみ出している印象だった。その印象と若さのせいか、つい五代は彼女に「お嬢さん」と呼びかけた。「まぁ、かけなさい」と椅子をすすめる。直角にお辞儀《じぎ》をして席に付いた広岡浅子が、大まじめな顔で五代の間違いを訂正してきた。

「五代先生、わたくしもう『お嬢さん』やありまへん」

「そうだった、加島屋の御寮人」

ちょっとふざけたような言い方になってしまったが、この返事をしたとき、五代はふいに加島屋の主人のことを思い出した。

――あれは確か、岡田平蔵が井上馨の権力を背景に尾去沢鉱山を横領したときのことだ。

尾去沢鉱山の存在を岡田に教えたのは、古くから小野組の盛岡支店にいた古河市兵衛に違いない、と得意満面に発した若旦那の顔がよみがえってきたのだ。

——まぁ、なんと似合いの夫婦でごわす。割れ鍋に綴《と》じ蓋だ。

五代はますますおかしくなったが顔に出すわけにはいかない。目の前でお嬢さん——ではなくて、加島屋の御寮人がまなじりを決していたのだ。

「五代先生、わたくしはええ加減な覚悟で炭鉱行きを決めたわけではありまへん」

これからは炭鉱の時代です、と彼女は声を大にして語った。ただの当て推量などではなく、大久保利通の石炭重視政策を事前にキャッチしての覚悟であることを強調する。

確かに見どころのある若い人だ——と五代は彼女を高く評価した。大阪の旧習に染まってその中で安逸をむさぼるだけの輩とは、人としての出来が違っていた。このお転婆《てんば》、ものになるかもしれない、と五代は感じたのである。

——しかし、いきなり単身で炭鉱に乗り込もうとは。

さすがに無茶だ。

どう見ても彼女は炭鉱がどんなところなのかを知らない。ただ、荒くれ男の集まる所だと思っている。

その思いが五代の顔に出たのか、広岡浅子は唇を真一文字に結んで言った。

「先生、わたくしの覚悟をご覧いただけますか」

彼女に興味が出てきた五代がうなずいてやると、広岡浅子が懐から取り出したのは代々加島屋に伝わるというピストルだった。このピストルを懐に呑んで炭鉱に行くつもりだという。広岡浅子は五代にびっくりしてほしかったのかもしれないが、無造作にそのピストルを握った五代は黙ってかぶりを振ってみせた。席を立って机の引き出しから愛用のコルト社製六連発リボルバーを取り出して彼女の前にすすめる。

「あなたの時代遅れのピストルでは役に立たない。これを持っていきなさい」

広岡浅子の顔がぱっと輝く。五代先生のお許しが出た、と五代から贈られたピストルを押し戴《いただ》くや喜び勇んで帰っていった。狼狽《ろうばい》した堀壮十郎が「なぜ、お許しになったのですか」と言うより先に「あのお転婆、止めても聞かないよ。行かせてやれ」と五代は命じた。

そうはおっしゃっても、と堀の顔に書いてあった。広瀬宰平になんと言い訳するつもりか、とも言いたげだった。

「わかっちょるよ。あのお転婆御寮人、このまま何の根回しもせずにいきなり炭鉱に乗り込んでいったなら、間違いなく消されてしまう。ヤマは埋める場所がいくらでもあるからな。五人や十人埋まっとったところで誰にも気づかれん」

だから広岡浅子に代わって五代友厚が根回しをする、と言っているのだ。

炭鉱で鉱夫たちをまとめている飯場《はんば》主は、たいてい地元の博徒とつながっている。そして博徒ににらみを利かせているのは、その地域を管轄する巡査である場合が多かった。

「堀、済まんが、あのお転婆御寮人が行くっちゅう炭鉱を仕切っとるんが、巡査なんかそうではなかのか調べてくれ」

もし巡査だったならば内務省に話を通しておけばそれで済む。そうでない場合には、かつて五代が関わっていた高島炭鉱に、いまも五代の息がかかった者がおり、高島と筑豊はなじみが深いので、この者に話を通しておかなければならない。

「あの御寮人、自分で炭鉱を経営するつもりだから、現場の人間とも関わらざるを得まい。だが関わるのは飯場主までだ」

そう五代が釘を刺したのは、かつて上海で汽船を購入したときの経験のせいかもしれない。あのとき五代は英人宣教師ミュアヘッドの口利きで上海ギャングたちと取引した。上海ギャングと取引できたのはミュアヘッドの口利きのおかげだが、いまも五代の心に残るのは贅沢な洋装で髪をポマードで撫で付け、油断のない微笑を浮かべていた上海ギャングたちではなかった。上海の港でギャングたちに案内されて候補の汽船を見て回ったとき、五代は何度もその光景を目撃した。痩せ衰えて眼ばかり光らせた人々が、アヘン荷をギャングたちの船に運んでいる姿を。

「あの連中はみなアヘン中毒です」

その上海ギャングの言葉は、いまも鮮明に五代の耳に残っている。通訳を介していたはずなのに、日本語で言われたように記憶していた。そこにいたのは、おそらく苦力《クーリー》と呼ばれている人々だったのだろう。五代がその生ける骸骨の群れから眼を離せないでいると、ギャングたちにたしなめられた。

「うかつに近寄らない方がいいですよ。一グラムのアヘン欲しさに人を殺すようなのが、うようよいますからね」

最底辺の光景は日本も中国も同じだ。五代は彼が上海ギャングから受けた注意を、広岡浅子にも与えなければならない。

「それから、おいが贈ったリボルバーだが。あげなもの、滅多なことでは、ちらつかせちゃいかんぞ。大丈夫かな、あのお転婆」

五代に問われて堀も首をひねる。

「念のために加島屋の若旦那の方に注意しておきますか。いちばんお転婆御寮人の心配をしているのは、あの若旦那でしょうから」

加島屋の若旦那か、と五代から独り言が漏れる。五代の心に浮かんだのは、若旦那ではなく、あのとき若旦那が口にした方の人物だった。

岡田平蔵の相棒だった古河市兵衛だ。堀が新しい情報を五代に伝えていた。

――古河市兵衛が第一国立銀行から受けていた小野組の融資分、百五十三万円をすべて差し出したそうです。鉱山も年貢米も生糸も、そして第一国立銀行の株券も。

小野組倒産を内部から手引きしたのが古河市兵衛である可能性がある、ということだ。融資分の返却といっても、動産不動産はすべて小野組の資産であるし、総額の半分以上を占める株券だって、元は小野組の金だ。

井上馨の小野組乗っ取りを助けたのが古河市兵衛ならば、彼こそが井上馨の手先ではないか。つまり井上の手先として岡田平蔵を消した疑いが古河にはある、と堀は訴えた。

だがこれを聞いた五代は、真剣そのものの堀の表情を見て噴き出してしまった。さすがに堀もむっとした顔になって押し黙る。その堀をなだめるように五代は説いた。

「岡田と古河は元の相棒じゃろう。互いに顔見知りだ」

「そんなことはもちろん知っています」

堀はむきになって言い返す。

「むかしの仲間に遠慮するような奴が、この大阪で成り上がれるはずがないことなど、先生が一番よくご存じでしょう」

「いや、そうではなく」

五代は堀の肩を叩いて続けた。

「おいが言いたいのは、人を殺すということはそれほど簡単ではなかっちゅうことだ。おはん、あの古河が岡田に『やぁ、久しぶり』とか言いながら、短刀で腹を突き刺すか首を縄で絞めるかしちょるところを想像できるか」

「殺し屋を雇ったのではないですか」

「だからそれが簡単ではない、と言っとるんだ」

口をとがらせている堀へ、五代はさらに続ける。

「殺し屋を雇うには、それなりの人脈が要る。後で問題にならんようにするためにな。素人の古河には無理だ。何の人脈も持たぬ素人がよう知らん世界に足を突っ込んで殺し屋など雇ったら、あとで大変なことになるぞ。まして古河は大店の支配人だ。必ずその殺し屋から岡田殺しをネタに脅される。そいがわからぬ馬鹿じゃないぞ、古河は」

すっかり五代に言い籠められてしまった堀だが、なおも遠慮がちに訴えた。

「百五十三万円、ですよ。古河が差し出した総額は」

国家歳入が数千万円だった時代だ。

「じゃっで井上と古河の間で裏取引があった可能性は否定せん。井上の密命を受けた誰かが、小野組乗っ取りをおいに知らせようとした岡田を消した可能性も否定せん」

五代が遣り切れぬ面持ちに変わる。

政府を代表する高官が、一民間企業の乗っ取りに手を染めたのだ。しかし五代には、どうしても井上を心から憎めなかった。

――確かに井上はえげつない奴だ。

だが新政府はえげつないことの一つや二つやってのけなければ潰れてしまうのだ。民間企業ではなく国家が潰れてしまうのだ。

新政府はいまだ財政基盤が整っていない。収税方法すら確立しておらず、そのために全国に金融網を持つ小野組を乗っ取ったのだ。

――一日も早い資本主義の育成を。

その大久保利通が掲げた国家目標は、いまだ維新以来十年もたっていないのに、蹉《さ》跌《てつ》の連続だった。数え切れぬほどの内憂外患に足を引っ張られ続けた。

――じゃっどん、それもようやく一区切りがつきそうだ。

と、日本の未来を決める舞台を裏からおぜん立てした五代も、ひとまず安堵の息をつく。途中、加島屋のお転婆御寮人がその舞台に紛れ込んできたりしたものの「まぁ、それもご愛嬌」だ。

明治八年二月十一日、薩摩の大久保利通と長州の木戸孝允の両巨頭に、土佐の板垣退助も加わって大阪会談が開かれ、此処に日本の火薬庫とも言うべき西郷隆盛を、いかにして新政府を巻き込ませぬよう自爆させるかが決まった。

十二

　大阪会談の目途がついた頃のことだ。五代は大久保を案内して有馬温泉に遊んだ。

　このとき大久保利通の接待をぜひ自分にやらせてくれ、と五代に頼み込んできた男がいる。中野梧一だ。

　有馬温泉で湯治する大久保のもとへ馳せつけてきたのは、最初、中野梧一ひとりに見えた。しかし中野の背後に眼をやったところ、そこに藤田伝三郎が立っていた。

　湯治のかたわら一行が楽しんだのは狩猟である。五代が勧めたのだ。

　狩猟のためにブローニング社製の高級猟銃を数丁持参してきた五代は、猟場でそれらの猟銃を披露して大久保に言った。

「どれでもお好きなのをお使いください」

　ケースから取り出された猟銃は、どれもシステマティックに装備された見事な銃ばかりだった。眼を見張った大久保が、手を出しかねて五代を見やる。

「おはん、どこで狩猟を覚えたのだ」

「ベルギーでごわす。薩摩留学生たちを引率して洋行したとき、おいが薩摩との貿易を図ってベルギーに渡ったのは大久保さんもご存じだと思いもす。そのときモンブラン伯爵の領地に招かれ、そこで初めて狩猟をしもした」

モンブランの名を聞いて大久保は少し嫌な顔をした。気付かぬふりで五代は付け加える。

「西洋では狩猟こそが貴族のたしなみだと聞いちょりもす」

日本でモンブランは偽貴族とか国際山師などと陰口を叩かれている。薩摩藩は彼が幕府と二股をかけているのを疑って、彼の秘書であったジラール・ケンを密殺し、さらにはモンブランその人も除こうとした。

確かにモンブランは、人を不安にさせる男だった。何を考えているのかわからない。何を目指しているのかもわからなかった。モンブランを最もよく知る五代ですらそうなのだから、薩摩藩がモンブランを不気味に感じたのも無理はない。

しかし明治維新にモンブランの功績があったのは、まぎれもない事実だ。ロッシュ解任をいち早く薩摩に伝えたのはモンブランであるし、その後も鳥羽伏見の混乱期に、生まれたばかりの新政府と諸外国の間を調整してくれたのもモンブランだった。

——あのときは大変だった。

当時、新政府の官員だった五代は、京都大阪に集まってきた諸藩兵と兵庫開港問題で此処に集結していた欧米列強艦隊との間で続出したトラブルに、気の休まる間となく東奔西走したが、何とか無事におさまったのはモンブランのおかげだった。

モンブランの功績は新政府にとって重荷だった。無視するわけにもいかないので日本総領事に任じたが、普仏戦争によってナポレオン三世が失脚し、モンブランとの縁も切れると、新政府は厄介払いできたと安堵した。

モンブランに帰国を勧めた五代は、その厄介払いの片棒を担いだと、モンブランに思われても仕方がない。だが五代はモンブランの領地でともに狩猟を楽しんだ日のことを、いまも懐かしく思いだすのである。

いま大久保に披露している猟銃にも、モンブランとの思い出が詰まっている。モンブランがいなかったならば、どうしてブローニング社から銃を取り寄せることなどできただろうか。

五代はどの銃を選んでよいかわからぬ大久保のために、素人でも使いやすい一丁を選んで渡す。中野梧一には銃の扱いに慣れた者が使う一丁を手渡した。三丁めを選ぼうとして、熊のような藤田伝三郎と眼が合った。

「君はどれくらい銃を使えるのかね」

そう尋ねた五代が、ぎょっとして藤田を見やる。たじたじと後ずさりした藤田が、顔に似合わぬ甲高い声で発していたのだ。

「滅相もございませぬ。わたくしごときが大久保閣下や皆様と同じことをしたら罰が当たります」

「まぁ、そう言わずに」と五代は扱いが簡単な一丁を選んで渡そうとしたが、藤田は固辞して受けようとはしない。

「ならば君は此処で何をするつもりかね」

五代が尋ねたところ、藤田は気を付けの姿勢で答えた。

「わたくし、閣下の御ため、此処で勢子《せこ》を務めさせていただきます」

一行の傍には五代の書生が連れた猟犬が数匹いた。勢子宣言をした藤田が其方を一瞥するや、犬たちが猛然と藤田に吠えかかった。書生の握る引縄《ひきなわ》が、いまにも引きちぎれそうである。

だが誰も笑わなかった。

「行こうか」

大久保の声が聞こえ、一同は獲物を探して歩き出す。

五代が一羽のキジを見つけた。

「大久保さん」と教える。さりげなく狙いの付け方を示したところ、キジが飛び立つより先に大久保の銃口が火を噴いた。

命中したか、と五代が確かめる間もなく、犬たちと一緒に控えていた藤田が駆け出す。書生が引縄を解くよりも早かった。

ようやく放たれた犬たちが藤田の後を追う格好だ。

――まるで犬たちに追いかけられる態だ。

その場の皆がそう思っただろうが、誰も声に出さない。笑う者すらいなかった。

獲物が落ちたと思しき深い灌木《かんぼく》の茂みから、だしぬけに藤田の顔が出てきた。五代が息を吞む。場を圧倒する迫力があった。ふと気づけば、いつの間にか犬たちの吠える声がやんでいる。

茂みから飛び出してきた藤田が、獲物のキジを押し戴くようにして駆け戻ってきた。うやうやしく大久保にささげる。

控えた。

「ありがとう」

大久保が獲物を受け取ると、藤田は何事もなかったかのように、また中野の背後に
狩猟を楽しんだ後、一行は中野梧一の設けた旅宿に入る。そこには大久保の愛用する指宿煙草から玉露、ブランデーまで用意してあった。

中野は決して自分が大久保のために用意した、などと押しつけがましいことは言わない。彼は前垂れ掛けで算盤をはじく商人《あきんど》のような揉み手愛想笑いは一切見せなかった。しかしそれでいながら大久保に対するもてなしには、いささかの遺漏もない。愛飲のブランデーを味わいながら、大久保は中野の態度を褒めそやした。

「中野君のような人こそが新しい時代の実業家にふさわしい」

だが中野と藤田が退席して、五代と二人きりになったとたん、こう吐き捨てた。

「とんだハゲタカじゃのう。藤田も、そして中野も」

黙っている五代へ、ニヤリとして付け加える。

「わかっちょるよ。ハゲタカが資本主義を育てるのだろう。それに――」

大久保には気にかかっていることがあった。長州の井上馨の動きである。

「大阪を長州に取られてはかなわんからな」

井上馨自身は大阪会談後に、機を見て政界に復帰するであろう。だが後に先収会社が残される。井上が事実上支配する先収会社が。

「あの中野、近いうちに山口県令を辞めて大阪で会社を始めるつもりなのだろう。鹿児島の西郷との戦争を見込んで、大儲けするための会社を」

大久保に訊かれて五代がうなずいてみせると、大久保はさらに質してきた。

「中野梧一を県令として山口に送り込んだのは井上馨だ。っちゅうことは中野は井上の子分っちゅうことになる。その中野が県令を辞めるのは、井上から離れるためか、それともこの大阪でさらなる井上の手先となるためか」

中野に対する大久保の口調はとげとげしかった。中野を武士の仮面をかぶったハゲタカだと見ている。その大久保へきっぱりと五代は言った。

「大久保さん。中野がハゲタカならば、この五代もハゲタカでごわす」

何をぬかすか、と大久保は舌打ちした。「中野はよそ者じゃろう」と吐き捨てる。

「これは大久保さんの言葉とも思えん。資本主義の育成に役立つ者に、薩摩も長州も幕府もありますまい」

大久保の表情が変わる。また舌打ちした。五代の言ったことに腹を立てたのではない。つい薩摩根性が出てしまった己れに腹を立てたのだ。

それがわかった五代は、大久保の舌打ちが聞こえぬふりをする。黙って空になった大久保のグラスにブランデーを注いだ。

一口飲んだ大久保が、いつもの顔つきに返って五代に尋ねる。

「ところで先収会社のことじゃが」

井上馨のことを訊かれるのかと思った。

「先収会社、はじめは岡田平蔵なる者が社長じゃったと聞く。その岡田、やはり長州の者なのか」

大久保は岡田平蔵を知っていたのだ。

「岡田は長州の者ではありません」

五代が答えると、大久保はさらに問うてきた。

「長州の者ではない岡田がなぜ井上の会社の社長になったんじゃ」

五代はかいつまんで説明した。岡田平蔵が新政府に取り入ったきっかけを。

紙くず同然とまで言われた太政官札十五万両を金銀地金と洋銀に替えて、当時の財政責任者由利公正に献上した岡田は、「使える奴」として由利から井上馨に紹介されて、その仕事を請け負うようになった。

　大久保はいちいち、うん、うん、とおもむろにうなずいてみせる。「ところで」と急に五代の話を遮ってきた。何事かと見返した大久保の顔が大きく迫ってきた。

「なぜ岡田平蔵は消されたんじゃ」

　まさかそんなことを大久保の口から聞くとは思わなかった。呆気にとられて黙ってしまった五代へ、さらに問い重ねてくる。

「銀座煉瓦街で犬っころみたいに転がっとった岡田は、なぜ大阪で急死したことにされたんじゃ」

　あたりが急に血なまぐさくなった気がして、五代は声をひそめて答える。

「岡田は小野組乗っ取りの情報をいち早くつかんで、おおいに知らせようとしたので消されました。なぜ大阪で死んだことにされたのかは、遺族の希望ということになっていますが」

　そこまで言って五代の声は途切れる。あの素朴な岡田の細君の言葉がよみがえってきた。

――うちの主人は井上閣下と知り合いだったのですか。

岡田の細君が何も知らなかったのは明らかだ。行き止まりに突き当たった気がした五代の耳に、責めるような大久保の声が響いてきた。

「なぜ、岡田が死んだとき、すぐにわしに相談しなかったのだ。時をおかずに内務省を動かせば事の真相を突き止めることもできたであろうが、いまとなってはもう手遅れじゃ」

これを聞いて、五代は少し矜持《きょうじ》を傷つけられたように顔をしかめた。

――おいは子供じゃなか。西郷隆盛を相手に伸るか反るかの征韓論議の渦中にあった上に、岩倉具視の暗殺未遂事件まで抱えていた当時の大久保利通に、どうして岡田のような野良犬の死を相談できようか。

そう言いたげな五代を見て、大久保はやや口調を緩める。

「わしは岡田のことなどどうでもよか。だがおはんの身が心配なのじゃ。岡田を消した者の真の狙いは、おはんだったんじゃなかとか」

「よしてください、大久保さん。おいは官員を辞めて野に下った一介の――」

「おはんはいまの自分の立場に、どれほどの価値があるかわかっとらん。やろうと思えばどげなぼろ儲けもできる立場だぞ。そのこと、決して忘れるな。おはん、狙われとるぞ」

十三

明治十一年九月、五代友厚は大阪商法会議所を設立した。

この一年前に西南戦争が終わっている。日本の火薬庫とも言うべき西郷隆盛を、全国に満ち満ちていた不平士族と一緒に大爆発させて、この日本から一掃した西南戦争だ。

西南戦争の終結によって、ようやく真の明治維新が始まる。五代の大阪商法会議所も、このときを待って設立された。

戊辰戦争後、大阪には次の内乱で大儲けしようとたくらむ輩が、続々と集まってきていた。これらの目端の利く連中は、次の内乱が中国九州で起き、その兵站基地が大阪になると読んでいたのだ。

このたび大阪商法会議所の設立にあたって、副会頭として五代を支えることになった中野梧一もその一人である、大久保利通から武士の皮をかぶったハゲタカと酷評された中野梧一だ。

――じゃっどん、大久保さん、商都大阪の秩序はきれいごとでは守れんのです。ただ清廉潔白なだけでは資本主義の番人は務まりません。

五代は中野梧一を副会頭に任じたことを、じかに大久保利通に伝えたかった。五代の顔を見ると、大久保はたいてい渋面をした。また何か面倒を持ち込んできたか、という表情になった。

だが大久保の渋面も、もう見ることはできない。この五月十四日、大久保利通は東京紀尾井坂で暗殺された。

西南戦争前の明治九年の末に上京した五代は、大久保から聞かされた。

――大久保の密命を受けた薩摩出身者の一部隊が、西郷隆盛の支配する鹿児島に潜入する。目的は集成館にある（日本唯一の）金属薬莢《やっきょう》製造機械を運び去ることだ。鹿児島から撤去した機械は大阪に搬入するから、西郷派に奪還されたり西郷派を騙《かた》る輩に横取りされたりせぬよう、警備保管の手配をしてほしい。

これは大久保からのミッションであると同時に、西南戦争が間近に迫っていることを知らせる意味もあった。

あのとき、渋面の大久保は言ったものだ。「あの二人に知らせるのは嫌なので、おはんに知らせる」と。

あの二人、とはもちろん中野梧一と藤田伝三郎を指す。中野と藤田はすでに手回しよく軍靴など軍需物資の製造工場を設けており、さらに軍用米を買い占めて戦地に輸送した。この二人の強みは輸送ルートを握っている点にある。藤田は明治初期に長州藩の武器を大阪まで輸送した実績があった。彼がいつごろから瀬戸内海の交易路を確保していたのかはわからぬが、そもそも長州で高杉晋作の奇兵隊が挙兵したとき、真っ先にこれに呼応したのが、瀬戸内海交易商たちだったのである。また、当時トラブルが頻発していた関門海峡でも、一年半前まで山口県令だった中野梧一が、地元業者と結託して中野・藤田の輸送船を優先して通行させた。

こうして中野・藤田は西南戦争で、三菱（岩崎弥太郎《やたろう》）に負けぬ大儲けをしてみせた。だがこれについても、井上馨の先収会社が三井物産に発展改称したため、「三井の番頭さん」の井上が、三菱に対抗させるため、中野・藤田を手先に使ったと噂された。

その真偽は五代にもわからない。しかし中野・藤田は決して五代の決めた枠から逸脱するような真似はしなかった。五代は西南戦争による米価騰貴《とうき》に備えて米商会所を設立していたが、中野・藤田が五代の米価安定策を邪魔したことは一度もない。二人は自分たちの成功が、五代が大久保から入手した西南戦争の事前情報のおかげであることを忘れたことはなかった。いや、五代が忘れさせなかった。だから二人は商法会議所の設立に際しても協力を惜しまず、特に中野は住友の広瀬宰平らとともに会頭の五代を支える副会頭に就任した。

五代が商法会議所を設立したのは明治維新の激動期であって、その性格は現代の商工会議所とは相当に異なるようだ。五代は大久保利通の悲願であった日本の資本主義育成を、在野の立場で進めようとしたのだろう。大阪を重視したのは此処が日本経済の中心であり、加えて東京に比べて政府の干渉を受けることが少なかったからだと思われる。

江戸と言ったころの東京は大名屋敷ばかりが目立つところだった。広大な敷地を持つ大名屋敷は一か所ではなく、中規模以上の大名ならば、上屋敷、中屋敷、下屋敷と三か所もあった。そんな広大な土地を独り占めして何をやっているのかというと、お殿様に下々の暮らしを見せるためと称して、江戸の真ん中に田舎を再現して森や田畑を作り百姓まで住まわせていたりした。

明治になって江戸が東京と名を変えても、この状況は急には変わらない。廃藩置県によって大名は消滅したが、彼らは華族と名を変えて、いまも広大な敷地を独り占めしていた。そんな東京に比べて、大阪には資本主義が育つ土壌があると、五代は感じたのだろう。大阪では大名の所有地までもが商売のための蔵屋敷で、無駄に土地を遊ばせておく発想はなかった。五代は決して「難波《なにわ》のド根性」には共感していなかったが、大阪を守り育てることこそが日本の資本主義発展につながると信じていたのだろう。

だから五代の商法会議所は、商業警察のようなこともしている。五代は同業者組合を作らせ、全ての営業者の名簿を備えさせた。そして開業した者があった場合には、その者を名簿に加え、廃業した者があったならば、同様に名簿から削除させた。五代はこの届出を義務化するため大阪府に法律を制定させた。これによって商業者の実態を把握し、悪徳業者が紛れこむのを防いだのだ。五代はこの同業者組合を秩序維持の基礎として重視したが、当時の商人たちには規約作成等の能力がなかったため、五代は商法会議所の専門スタッフにこれを代行させた。

こうして大阪における五代の地位はますます重くなったが、築いた秩序を守っているだけでは資本主義は発展しない。五代は薩摩藩士時代から一貫して貿易至上主義者だった。日本がインフラを整備し陸海軍を欧米並みにするには、外国から財貨を獲得する以外に道はない、と考えていた。モンブランとの貿易商社設立に奔走したのもそのためだが、しだいにその限界を感じ始めていたのも確かだ。

貿易をしようにも、こちらから売る物が乏しいのである。薩摩藩士時代、五代は「砂糖を売れ」と唱えていた。しかし薩摩一藩ならばともかく、国家規模で見るならば、いかに五代推奨の英国製最新機械で効率よくサトウキビを絞ってみたとて、気休めにもならない。

維新後、五代の弘成館は日本全国の鉱山を掘り返し、明治九年九月には朝陽館を設立して染色事業を始めたが、なかなか思うに任せなかった。特に欧米先進国の「隙間」を狙った朝陽館の染色事業は苦戦続きだった。繊維業自体のレベルが欧米のそれに達していなければ、「隙間」も狙えないということなのだろう。

やはり現在の日本の民度では、欧米と同じような資本主義育成は望めない。これが五代の結論だが、よくよく考えてみれば、いや、考えなくても、欧米に留学した秀才たちと小難しい顔で論じ合わなくとも、そんなことは街の光景を見れば一目瞭然《いちもくりようぜん》ではないか。

――ねぇ、大久保さん。

先に逝ってしまった大久保利通に難癖の一つも付けてみたくなる。

東京でも大阪でもいい。その光景を一目見れば、珍妙《ちんみよう》としか言えないはずだ。珍妙な文明開化の光景だ。巨大な煙突を群立させた大工場、プラットフォームに蒸気機関車が入線したモダンなステーション。そこだけ見ればロンドンかパリのようだが、その周囲のみすぼらしい風景が、全てを台無しにしている。そんなことは誰でも知っている、と言うかもしれない。だが五代がショックを受けたのは、欧米から輸入したその文明の施設を撮った写真を見たときだ。工場やステーションを撮っているのに、周りからみすぼらしい江戸時代の光景が写り込んでくるのである。しょせん、日本の文明開化はその程度だ。写真に写り込む非常に狭い範囲ですら、ロンドンやパリのようにはいかないのだ。

在野の資本主義は、簡単には育たない。これは五代が大阪商法会議所の会頭を務めておればこその実感である。産業革命に大きく乗り遅れた日本には、在野の資本主義が育つのを待つ余裕はなかった。

――資本主義を可及的速やかに育成するには、やはり政府と手を組むしかない。民度が低い以上、国有財産を資本主義の基礎に転化するしかない。

こうして五代の次の目標は定まったが、相手が政府となると、これはもう五代の意のままにはならない。相手(政府)しだいであって、五代の手の届く範囲は限られてくる。

その頃から五代は中野梧一と行動を共にすることが多くなっていた。商法会議所の副会頭としての中野は、旧幕臣らしい紳士的な風采《ふうさい》の持ち主で、大阪の名士として五代の代理を務められるまでになっていた。だがそればかりではない。もともと旧幕府勘定所の隠密だった中野は世間の裏を知り尽くしており、大阪に紛れ込もうとする悪徳業者の手口を簡単に見破ってみせた。

さらにいま一つ付け加えるならば、これは大きな声では言えないが、五代と中野は女の趣味が同じだった。二人とも顔さえ綺麗《きれい》ならば、どんなに尻軽《しりがる》でもよく、いや、むしろ尻軽の方を好んだ。当然二人は連れ立って花街に遊びに行くようになる。五代にしてみれば、もう生真面目な堀壮十郎に女の下見をさせずに済み、そちらの方面でもよき相棒を得たようなものだ。

しばしば二人はそろって花街に繰り出したが、その日、美女たちを侍らせてブランデーを呷《あお》っていた五代の耳元で、ふいに中野が「五代さん」とささやいた。

これはまた狙った女が重なってしまったかな――と振り返った五代の眼に映った中野は、ひどく真剣な表情だった。その視線はどの美女にも向けられていない。

「わざとこんなところで話すのだ。商法会議所の会頭室などではなく」

なるほど、とうなずいた五代が、気配を悟られぬよう眼を美女たちに向けたまま尋ねる。

「何が起きた、中野」

「北海道開拓使だよ、五代さん」

五代の耳だけに届く中野の声が返ってきた。五代は美女たちに気を取られているようなふりをして、中野に続きを促す。

「政府は北海道開拓使を手放したがっているそうだ。待ち望んでいた機会じゃないか、五代さん」

中野の肉声が五代の心を駆け巡って、目の前に美女たちがいることを忘れた。代わって五代の心に北海道の広大な風景が広がった――と言いたいところだが、あいにく五代はまだ北海道を自分の眼で見たことはない。自分の眼で見たことはないが、いま中野の口から出た北海道開拓使の長官、黒田清隆（了介）から何度もその無尽の可能性について聞かされている。

――兄様、北海道はアメリカのフロンティアと同じでごわすよ。

五代は全身に力がみなぎってくるのを感じた。その頭脳がうなりを上げるように回転をし始め、次々と打つべき手が浮かんでくる。

――北海道開拓使の経営権がもし手に入ったならば、まずこの大阪に貿易商社を設立することだ。

今まで五代は何度も貿易商社を設立しようとして挫折してきた。とりわけモンブランと図ったベルギーとの貿易商社設立の挫折は、五代にとって忘れることができない痛恨事《つうこんじ》だ。

――でも、今度は大丈夫だ。北海道開拓使が手に入るならば、今度こそ貿易商社を設立できるぞ。

黒田清隆が力説した通り、北海道には無尽の可能性がある。豊富な埋蔵量の石炭。ラッコやアザラシなどの海獣の毛皮。そして何よりもその広大な未開の原野。日本で開拓の余地があるのは北海道だけだ。大きな開拓ができれば、貧しい日本の財産も飛躍的に増加する。

このころ、外国から近代農法を導入しようとする動きがあった。しかし内地は土地が狭く、その狭い土地に大勢の農民がひしめき合い、しかも山の上まで段々畑を作っており、もうどこにも開拓の余地はなかった。近代農法など試す場所すらなかったのである。

――しかし北海道ならば、広い土地で機械化された小麦生産や大型酪農ができる。むろんこれを実現するには相応の年月と資本が必要だが、五代は北海道経営が軌道に乗るまでの運転資金についても成算があった。

――清国に昆布を売ればよか。

簡単なことだ、と五代は一人でにんまりとする。かつて薩摩藩が密貿易で負債を一挙に回収したとき、その最大の輸出品は薩摩特産の砂糖ではなく、北海道でしか採れぬ昆布だった。松前の商人から長崎経由で仕入れた昆布を清国に密輸していたのだから、二度手間三度手間で仲介料も運賃もかさみ、相当に割高になっていたにもかかわらず、莫大な利益が上がったのである。

それほどに清国における昆布の需要は大きい。北海道開拓使が手に入れば昆布の産地を押さえられるのだから、密貿易時代の薩摩とは比べものにならぬ安値で、しかも大量の昆布が確保できる。

——その昆布を大阪に設立する貿易商社を通して清国へ輸出するだけで、その後の北海道開発の資本が獲得できるだろう。

清国への輸出が成功すれば、朝鮮も市場にできるかもしれない。朝鮮問題は国内政治、国際政治、そして内外の軍事問題が複雑に絡み合い、見通しが付きにくくなっていたが、五代は明治初年から朝鮮を視野に入れて布石を打ってきた。

朝鮮問題を担当した外務官僚に森山茂《もりやましげる》という人がいる。五代の妻の兄といわれる人で、実の兄かどうかはわからないのだが、五代の身内同然の腹心だった人である。五代はこの森山茂を外務省に送り込み、正確な朝鮮情報を随時入手していた。

——市場が朝鮮にまで広がれば、機械化農法を導入した北海道の小麦や乳製品も輸出できるようになるだろう。

そしていま一つ——インディゴの国際競争力に苦戦が続く朝陽館の染色事業も、もし朝鮮を市場にできたならば軌道に乗るかもしれない。

また、今後の朝鮮問題の進展しだいによっては、森山茂を擁する五代が、この問題を左右する鍵となるかもしれなかった。

もしそうなれば——。

「日本のジャーディン・マセソン商会を実現できるかもしれん」

声に出してつぶやいた五代の目の前で、中野が力強くうなずいていた。

「ジャーディン・マセソン商会も、準国営の東インド会社から出発しちょる。これは幸先がよかぞ」

ならばこんな頭の軽い娘たちが侍《はべ》る宴席などはうっちゃって、さっそく有志を集めた会議を始めた、と言いたいところだが、それはそれ、これはこれ、である。五代も中野も密談が一段落した途端、北海道開拓使のことなど忘れたように、にぎやかに侍る美女たちの品定めに戻った。初めに眼を付けた美女は、中野に先を越されて持っていかれた。くそ、と膝を打った五代は、いったんトイレ休憩だ。用を足して戻ってくると、部屋の外に一人の女が立っていた。見覚えはある。ずっと宴席に侍っていた女の一人だ。このように部屋の外まで出て、気を引こうとする女は珍しくはない。

だがあいにく、その女は糸を引いたように目が細く、五代の好みとは程遠かった。適当にあしらって帰そうと考えた五代に作り笑いが浮かぶ。「やあ、やあ」と大きな声を出して、糸のように目が細い女をやり過ごそうとしたとき、五代の背中から聞こえてきた。

「わたし、あの背の高いお客さんと、長州で会ったことがあるんです」

「長州？」

おうむ返しにした五代へ、その女は声を潜めて応じた。

「わたし、在は長州なんです。でも、わざわざお話ししたのは、そのためじゃありません。お見かけしたときの状況が普通ではなかったものですから」

その女によると、中野に会ったのは幕府の長州征伐のときだという。その女の生家はのちに幕府軍と長州軍が激突した芸州口付近にあり、偶然その様子を目撃したと語った。

——初めに大きな叫び声が聞こえてきた。「撃つな」と。声のした方を見やったところ、灌木の茂みが視界を遮っており、自分の姿を見られないのを確かめてから、声のした方に近づいていった。茂みの陰からうかがってみると、そこに背の高い男が一人いた。行商人の姿だったが、女は「この人、背が高すぎる」と感じた。背が高すぎるから、せっかく行商人に身をやつしても、人目を引いてしまうのだ、と。その背の高い男は数人の長州人に銃口を突き付けられていた。背の高い男はまた叫んだ。「おれは高杉さんの知り合いだ。連れていけばわかる。嘘じゃないぞ」。その訴えは効果覿面《てきめん》で、いまにも撃ち殺されそうだったその背の高い男は、縄もかけられずに連行されていった。

いつの間にか五代は、吸い込まれるようにその女の話を聞いていた。

「それで」と五代はその女に尋ねる。

「行商人に化けた背の高い男に銃口を突き付けていたのは、どんな奴だった」

「どう見てもお侍ではありませんでした」

女は冷静に答える。少し考えてから付け加えた。

「かといって百姓でもないと思います。顔の日焼けが潮焼けでしたから。頭分の人は熊みたいな風貌でしたよ」

「その熊みたいな男、いま見てもわかるか」

五代が質すと、女は当然とばかりにうなずいた。さりげなく五代が続ける。

「さっき君は、その光景を見たのは偶然と言ったが――」

「先生のお見通しの通り、わたくしがそこにいたのは偶然ではありません」

みなまで言わさず女は一礼する。五代の気をそらさぬよう抜け目なく言った。

「もし、わたくしにお仕事をいただけるならば、それなりにはお役に立ってご覧にいれますよ」

十四

北海道経営を想定した五代の貿易商社設立は、思いもよらぬ事件によって阻まれる。

明治十二年九月十五日の未明、中野梧一が息せき切って五代邸に飛び込んできた。

五代の顔を見るなり、

「藤田伝三郎が検挙された」

と、叫ぶ。五代が中野を落ち着かせて事情を尋ねようとしたところ、

「時間がない。おれも間もなく逮捕される」

中野は五代を遮った。

「ついさっき、内務省の巡査たちが踏み込んできて、藤田をしょっ引いていった。藤田組が贋札《がんさつ》を使ったという容疑だ。その容疑、おれにもかかっている。おれは藤田組の最高顧問だからな」

ランプに照らされた中野の相貌が禍々《まがまが》しく歪み、刻まれた皺《しわ》が黒く翳を隈取っていた。五代がカーテンの下りていない窓を一瞥する。窓の向こうから闇が迫ってきそうな錯覚を覚える。

「どうやら事の発端は井上さんらしい」

闇の残像が窓の向こうから、するりと部屋に入ってきた気がして、五代はいま一度、窓を振り返る。

「洋行中の井上さんがドイツで印刷した円の贋札を藤田に送り、藤田はこれを手本に贋札を刷ったというのだ」

中野の声が急にやむ。卓上ランプが小さな光を投げかける部屋の中で、中野の荒い息遣いだけが薄闇を震わせている。

「五代さん、岡田平蔵を覚えているだろう」

ふいに中野は、五代がどきりとすることを言った。

「五代さん、下手をすれば藤田も岡田平蔵みたいになる」

その言葉で五代の腹は決まった。

「おいに任せておけ、中野」

五代が告げると、中野は安堵したように帰っていった。


その日のうちに五代は藤田伝三郎が拘禁された堺の南宗寺《なんそうじ》に向かった。警察隊の捜査本部は此処だ。

南宗寺の入口で五代を遮ってきた若い巡査がいた。「おい、こら」と怒鳴りながら南宗寺の門を潜ろうとした五代を呼び止める。だが五代は振り返りもしない。そのまま門を潜ろうとすると、背後から凄まじい巡査の罵声が聞こえてきた。

「下がれ、無礼者」

ようやく五代が振り返る。せせら笑って応じた。

「誰が無礼者だと？」

五代の面構えを見た巡査が、一歩後ずさる。五代はもはやその巡査には一瞥もくれずに、看板を掲げた本堂へと迫っていく。

「何者だ」

今度は数人の巡査に取り囲まれた。

「うるさい奴らだな」

五代が蝿《はえ》でも払うように眉をしかめる。いきり立った巡査たちがこぶしを握りしめたとき、その背後から太い声が響いてきた。

「やめんか」

その場の巡査たちが、びっくりしたように道を開ける。立派の体格をした中年の男が、微笑をたたえて五代に一礼してきた。

「若い者が無礼をいたしました、五代先生」

喋り方に薩摩なまりがあった。

「おはん、薩摩の者か」

五代が問うと、その男は丁重に一礼して名乗った。

「さようでございます。このたびの事件を担当する佐藤と申します。お上より大警部補を拝命しております」

「じゃっで佐藤大警部補。藤田に面会したい。至急頼む」

するとと佐藤大警部補はやんわりと応じてきた。

「藤田伝三郎は重要事件の被疑者です。たとえ五代先生のお言葉であっても、従いかねますな」

その言いぐさを聞きながら、五代は佐藤大警部補の制服に付けられた階級章を見やる。大警部補など官員のうちにも入らぬ下っ端だが、五代の前に立ちはだかる佐藤大警部補の力の源は内務省だ。

五代が内務省の強大さを肌で感じたのは、このときが初めてだった。

――もう、大久保さんはおらん。

その事実が感傷抜きに、ひしひしと五代に迫ってきた。

大久保亡き後、内務省は伊藤博文に受け継がれた。かつては高杉晋作の使い走りだった伊藤博文に。大久保時代には自分の身内のように感じられた内務省は、今では見ず知らずの他人同然だ。

いま藤田伝三郎との面会をにべもなく拒絶してきた佐藤大警部補を目の当たりにして、五代は腹を固めた。

「佐藤大警部補」

五代がもう一度、その警察官の名を呼んだ。何度頼まれても訊けぬものは訊けぬ、とでも言いたげな佐藤大警部補の顔へ、五代は鼻先を突き付ける。佐藤大警部補に尊大な笑みが宿った。そんな脅しに乗るものか、と佐藤の顔に書いてある。おれの背後には内務省が付いている、と小鼻をうごめかす佐藤大警部補に、五代は告げた。

「藤田伝三郎はまだ生きちょるのか」

唖然とした佐藤大警部補が、五代を見つめ返す。

「冗談はやめてください」

だが五代はにこりともしなかった。

「おいが藤田に面会を求めちょるのは、藤田が生きとるのかどうかを確かめるため。もし面会を拒絶するならば。おいは藤田が死んだと解釈する。おはんらに消されたと」

「わかりました、五代先生」

周りを憚るように声を潜めた佐藤大警部補が、不承不承みずから五代を牢屋に案内した。入口の木戸を見張る目つきの鋭い牢番に合図して、これを去らせる。入口の木戸を解錠すると、奥に鉄檻が据えられてあり、五代はその中に藤田伝三郎の姿を見つけた。

だが牢内の藤田は一人ではなかった。着物の裾から彫り物がのぞいている輩が数人、藤田と同じ牢内に押し込められていた。五代が鉄檻の方へ進み出ると、その姿に気づいた藤田が、剣呑《けんのん》な輩がひしめく牢内で顔を上げる、背中から佐藤大警部補の声が聞こえてきた。

「ついでに博徒狩りをやったのです」

このたびの事件と関係ない連中が同じ牢内に交じっている理由を、そう佐藤大警部補は説明した。「藤田は平民ですから」と付け加える。同じ事件の容疑者として中野梧一も追って検挙されたが、士族であり元の県令である中野は、身柄こそ拘束されたものの、牢に入れられてはいない。

佐藤の声を背中で聞きながら、五代は鉄檻に歩み寄る。あたりの空気が変わったのを、五代は肌で感じた。牢内にひしめく輩に取り巻かれた錯覚に陥る。五代は鉄檻の中を見きわめるように、「藤田」と呼びかけた。低く藤田の声が返ってくる。「はい」と聞こえた。

牢内は異様な静けさに満ちている。そこにひしめき合っている輩は、まるで自分がそこにいないのかのような顔で聞き耳を立てていた。その沈黙の中、五代が尋ねる。

「藤田、贋札を使ったというのは本当か」

藤田がゆっくり首を横に振る。見る者を苛立たせるほどその反応は鈍かったが、五代は念を押して質問を重ねるようなことはしなかった。

「わかった。ならば、すぐにここから出してやる」と言い置いて、牢を後にする。どよめくような気配で牢内の空気が揺れていたが、五代は敢えて其方を振り返らなかった。牢の外に出た五代が、牢番や下僚が来る前に、佐藤大警部補の懐に札束を突っ込んで告げた。

「藤田を独房に移してくれ」

佐藤大警部補が黙っていると、こう付け加えた。

「もし金に困るようなことがあれば、いつでもおいのところに来い」

言い捨てて去る間際、佐藤大警部補の声が五代の背中を追った。

「ありがとうございます」

十五

よそ者で成り上がりの藤田伝三郎は、大阪商人たちの間でも評判が悪い。犬っころみたいな死体で転がってしまえばいいのに——という陰口すら叩かれていた。

だが五代が藤田支持を表明すると、表立ってこれに反対できる者は大阪にはいなかった。五代は大阪の銀行全てに紙幣の点検を命じた上に「この大阪でもし贋札が見つかるようなことがあれば、全て自分が責任をもって正札に引き換える」と公言したのである。五代にその公言を実行する力があることを知らぬ者は大阪にはおらず、贋札騒動は間もなく沈静化して中野梧一も藤田伝三郎も釈放された。

だが五代の傍らで堀壮十郎は、釈然としない思いに捉われていた。中野も藤田も無罪放免となったが、この事件の真相がさっぱりつかめないのである。

世間の解釈はこうである。内務省は大久保利通によって創設され、薩摩派が主流を占めていたが、その死後、長州の伊藤博文が跡を継いだため、薩摩派の勢力は大きく後退した。これに不満を持った薩摩派（警察官僚）が、長州派を陥れようとして、確たる証拠もないのに中野と藤田を検挙する勇み足を犯した。

いちおう筋が通っているように見えるが、この解釈は矛盾だらけだ。

そもそも事の発端は井上馨のはずである。洋行中の井上がドイツで刷った精巧な贋札を藤田に送ったところから、この事件は始まったはずだ。すでに井上馨は帰国しており、しかも外務卿の要職にある。だがその井上は事件とはまるで無関係に扱われている。内務省薩摩派は中野と藤田を自白に追い込むことに失敗したため、井上にまで捜査の手を伸ばすことができなかった、との推測もあった。

と、なれば――いやでもよみがえってくるのは、あの日、九月十五日、藤田検挙を知らせに来た中野梧一の言葉だ。

――藤田も岡田平蔵みたいになるかもしれない。

藤田伝三郎も岡田平蔵と同じように邪魔者として消されるかもしれない、ということだ。藤田と岡田は立場が似ている。二人とも井上馨の息がかかった「使える奴」だ。尾去沢鉱山事件で下野した井上が先収会社を設立したとき、岡田はその社長に就任した。傍目には井上馨と岡田平蔵は密接に結託しているように見える。だが岡田は小野組乗っ取りを五代に知らせようとして消された。岡田を誰が消したのかは不明だが、小野組を乗っ取ったのは井上馨だ。

岡田は明治初年に十五万両の太政官札を両替して新政府に取り入ったとき、小野糸店盛岡支店と図って、初めに太政官札を奥州産生糸に替えたことからもわかるとおり、小野組との関わりは長くて深い。そもそも岡田が先収会社の社長になったのは、小野組の融資を受けて鉱山事業をやるためだ。

いま先収会社は三井物産と名を改めている。小野組の資産と岡田の鉱山は、はっきりとはわからない形で政府（井上馨と三井組）に移されていた。

藤田伝三郎は岡田平蔵の二の舞を踏もうとしていたのか。

井上馨と同じ長州出身の藤田は、先収会社に勤めて井上の手先として働いていたが、西南戦争では井上と三井組を出し抜くような荒稼ぎをやってのけた。新たに設立された藤田組は、「三井の番頭さん」と呼ばれたほど三井組に肩入れする井上にとって、三井組の商売を邪魔する目の上のたん瘤になったのかもしれない。

——岡田平蔵が消されたとき、その災いは五代友厚をも襲った。いや、岡田を消してまで秘密の漏《ろう》えいを防いだのは、真の狙いが五代友厚だったからではないのか。

堀は五代に用心を促した。「おはんは考えすぎだ」と五代は取り合ってくれなかったが、もし堀の危惧が当たっているとしたならば、敵の狙いは弘成館とか朝陽館などではなく、いまは大阪商法会議所会頭として形式づけられた、五代が大阪で占める地位そのものである。生前の大久保利通が五代に与えた忠告が、堀には忘れられない。

——おはん、狙われちょるぞ。自分の地位の重さに気づけ。

残念ながら今の内務省からは、先を見通す情報がほとんど取れず、目隠しされているような不安が常にあったが、その後の大阪は贋札事件など忘れてしまいそうな平穏な日が続いていた。

そして、明治十四年六月三日、ついに五代待望の関西貿易社が設立される。むろん北海道開拓使の払い下げを前提とした貿易商社設立である。

五代がひそかに貿易相手として期待していた朝鮮は、日本との条約成立後も国内問題が安定せず、速やかな貿易開始は望めなかったが、それでも五代は上機嫌だった。

「五年は清国に昆布だけ売っていればいい」

上海に置く支店が清国市場への窓口として機能しさえすれば、関西貿易社は順調に滑り出すだろう。その設立の宴はシャンデリアが輝く王宮のような場に、関西の紳士淑女を集めて盛大に催された。綺麗どころも艶《あで》やかなドレス姿で集まっていたが、この日の主賓である五代は、さすがに好みの女がいたとしても言い寄るわけにはいかず、フロックコートにネクタイ姿で勿体《もったい》付けていた。

五代のもとには祝辞を述べる来賓たちが引きも切らず詰めかけていたが、ちょっと遠目に見てみれば、その場の華やかさにそぐわぬ人物をひとり見つけることができるだろう。その人物はまるで給仕のように、いつも五代の傍に無言で直立している。ホテルのボーイのようだが、それにしては洋装がまるで似合っておらず、その姿は飼い主に従う熊のようだった。

「藤田、ここはもういいから君も来客の相手をしたまえ」

五代が何度そう言い聞かせても、藤田伝三郎はその場を去らない。まるでこれが自分の務めだとばかりに、五代のグラスが空になるや、本物の給仕よりも素早く代わりの酒を運んでくるのである。

「ならば、藤田。中野を呼んできてくれ」

五代がそう命じると、藤田はものも言わずに人々であふれる方へ突進していく。ぶつかるぞ、と声に出しかけた五代が、あきれ果てたようにその背中を見やる。背中から見ても熊のような藤田が、ひょいひょいと信じられぬ素早さで人ごみをかわしていった。たちまち中野に従って戻ってくる。五代に向かって満面の笑顔でグラスを掲げてくる中野梧一の背後で、藤田の影だけが見え隠れしていた。

「乾杯だ、五代さん」

声高らかに発して、中野は自分のグラスと五代のグラスを合わせる。グラス同士が触れ合う音すら心地よいのか、中野は声に出して笑った。

「今日から新しい日本の資本主義が始まる。関西貿易社、万歳！」

「そのことだが」とさっそく五代が身を乗り出す。

「関西貿易社成功の鍵は上海支店にある。あそこは欧米の大商社も残らず支店を出している激戦区だ」

深くうなずいてグラスのシャンパンを呷った中野が、力強く付け加える。

「その通りだ、五代さん。そして上海にいちばん大きい支店を出しているのがジャーディン・マセソン商会だ」

そう言って思わせぶりに片目をつぶってみせる。二人にしかわからぬ秘密を中野は口にした。ジャーディン・マセソン商会だ。その商会の名は日本でも知られている。横浜の一番館を思い浮かべる人も多いだろう。だが一番館などいくら眺めていても、あの商会の本当の顔は見えてこない。事情通はジャーディン・マセソン商会を「アヘン売り」で片づけているが、これまたあの商会の一面だけしか見ていない。

日本にいたのではわからないのだ。ジャーディン・マセソン商会の凄さは。上海に渡れば、日本では見えてこなかったものが明らかになってくる。五代も中野も上海で大した仕事をしたわけではない。五代は新しい汽船を割安に購入するという、むしろ姑息な仕事をしただけだ。しかしそれでも肌で感じることができた。

――世界市場というものを。

ジャーディン・マセソン商会と仕事をして、その中身が上海ギャングとの交渉が主だったとしても、それでも肌で感じることができたのだ。この世には世界市場というものがあると。上海でジャーディン・マセソン商会は世界市場とつながっていた。アメリカの武器市場ともフランスの生糸市場ともロシアの毛皮市場とも。

だから五代と中野はこの日本で二人だけの同志だ。ジャーディン・マセソン商会を通して世界市場を知った同志なのだ。

世界市場への挑戦の第一歩を、五代は中野へ切り出した。

「君が上海に行ってくれないか」

関西貿易社上海支店開業の準備は、他の者には任せられない。中野は二つ返事で了承した。

「任せてくれ、五代さん」

そしてちょっと間をおいてから付け加えた。

「でも上海までの船は、トイレ付きの部屋を頼むよ」

これまた二人の間でしか通じない冗談だ。五代と中野は声を揃えて笑った。その様子は会場の片隅で五代の晴れ姿を見守る堀壮十郎の眼にも明らかだった。堀の表情も和む。手にしたグラスのシャンパンをなめるように飲んだ。ふっと小さく息を吐いたとき、視野の外から急に声をかけられた。

「堀さん、ちょっとお耳に入れたいことが」

隙を衝かれたように堀は声の主を振り返る。そこに風采の上がらない男がひとり立っていた。表情を探られた気がして、堀は他人行儀に「これは古河さん」と会釈を返す。

そこにいたのは古河市兵衛だ。元の小野糸店の支配人——というより元の岡田平蔵の相棒と言った方がしっくりくる。

小野組が倒産したとき、古河は百五十三万円もの小野組資産を残らず政府に引き渡し、それと引き換えに秋田県の諸鉱山の経営権を手に入れた。それらの鉱山の多くは、もともと岡田平蔵が経営していた。岡田殺しの動機は充分にあったが、五代によれば「古河は裏社会とのコネクションが弱く、殺し屋を自在に扱えない、本人もそのことをよく自覚しており、身の破滅につながる策に手を出す馬鹿ではない」とのこと。その通りなのだろうが、それでも堀は古河の顔を見るたびに心の中でつぶやく。

――あんたも井上馨の手先なのだろう。岡田みたいに消されないように気を付けろよ。

その井上馨の手先がいったい堀の耳に何の話を入れたいというのか。

「堀さん、北海道開拓使の件、ご存じですよね」

まるで鎌をかけてきているような聞き方だ。堀があいまいな表情のまま黙っていると、古河が世間話のように告げた。

「北海道開拓使、資産価値千四百万円のところ、たった三十八万円で五代先生に払い下げられるそうですね」

堀は息が止まるほど驚いたが、古河の話はそれで終わらなかった。「このこと、明日か明後日あたり、福沢（諭吉《ゆきち》）の新聞に出ます。官民の癒着として大々的に五代友厚糾弾の論陣が張られるそうです」と続けたのだ。

温厚な堀の表情が凄愴に変わっていく。

「堀さん、わたしじゃないですからね。この件をばらしたのは。わたしが福沢やその弟子たちと一面識すらないことは――」

「誰も古河さんがばらしたなどとは思っていません」

そんなことではない、と堀は五代の方を見やる。紳士淑女に囲まれて談笑している五代が、堀の眼に映った。また中野と乾杯している。これが今日何度目の乾杯だろうか。歯を食いしばって堀は五代の方へ歩み寄ろうとした。その途端、ふいに手元が揺れて、何かがこぼれ散る。狼狽した堀が握りなおしたのはシャンパンのグラスだ。グラスを持っていたことを失念していた。

「堀さん」とまた、古河の声が聞こえてきた。こぼしたシャンパンが古河の洋服を汚してしまったのに気付き、堀はハンカチを取り出そうとして、やんわりと止められた。

「何でもありませんよ。堀さん」

古河が堀の背を押す。早く五代に知らせよ、と。その堀の背中を追いかけるように、古河の声が響いてきた。

「この件を真っ先にお知らせしたのが古河市兵衛であることをお忘れなく」

どうやら古河の鉱山事業は、井上ばかりでなく五代の口利きも必要になるほど、大きくなってきたらしい。だが堀にはその古河の抜け目なさすら呑気に感じられる。体の震えが止まらなかった。

十六

別間で五代と向き合ったとき、堀の眼は据わっていた。

「先生、わたしはずっと勘違いをしてきました。岡田平蔵が消されたときからずっと、先生をひそかに狙っているのは井上閣下だと思っていたのです。二年前の贋札事件のときも世間からは内務省薩摩派が大阪から長州派を一掃するために仕組んだと言われていましたが、わたしは信じませんでした。だって今の内務省のトップは井上閣下の盟友である伊藤閣下（博文）ですからね。内務省の一部（警察部門）に巣食うだけの薩摩派が、どうして伊藤閣下の意に逆らう真似などできましょうか。わたしはあの事件も井上閣下が裏で糸を引いていたと信じていました。あの事件ではめられた藤田組は岡田組と同じだ。両方とも『三井の番頭さん』である井上閣下にとって、商売の邪魔になってきたのだ――と。そしてあの事件で藤田組をかばい抜いた先生こそ、井上閣下にとって誰よりも邪魔な存在に違いない――そう信じていたのです。でも違いました」

このたびの北海道開拓使払下げは、その井上馨の念願だったのである。ただでもいいから北海道開拓使を払い下げたかったのは井上馨だったのだ。以前から井上は赤字を垂れ流す北海道開拓使の非効率な経営に業を煮やしており、その売却を政府財政の健全化策の第一とまで考えていた。にもかかわらず北海道開拓使売却は容易にははかどらなかった。開拓使の長官が黒田清隆であり、その黒田がどうしても売却を承知しなかったからだ。

さすがの井上馨も黒田清隆だけは苦手だった。そこで盟友の伊藤博文に助けを求める。しかし伊藤もまた、黒田清隆が苦手だった。井上、伊藤のみならず政府高官の中に、誰も黒田を説得する自信のある者はいなかった。

誰が猫の首に鈴を付けるか、となったときに、あらゆる面での適任者として五代友厚の名が浮上した。北海道開拓使を経営できる手腕があるうえに、虎のような黒田清隆を猫のようにおとなしくさせることができる者など、この日本には五代友厚しかいない。このときの井上馨の手紙が残っているが、「何としても五代に引き受けさせなければならない。五代が乗り出さざるを得ないように事を運んでいく必要がある」と記されていた。

「つまり、千四百万円の開拓使が、わずか三十八万円で売却されることを福沢の新聞にばらしたのは、絶対に井上閣下ではないということです」

いよいよ堀の眼が据わってきた。ならば誰が——と堀がまなじりを決する前に、五代が待ったをかけるように告げた。

「大隈八太郎（重信）に決まっちょるではなかか」

だが堀は五代の眼がそわそわと泳いできたのを見逃さなかった。堀にじっと見つめられているのを知って、五代はわざと冗談めかして続ける。

「堀、覚えちょるか。むかし長崎の『たまがわ』で大隈とおれが女の取り合いをしたのを。あいつ、尻軽を真剣に追いかけていやがった。頭はよかじゃっどん、むかしから少しずれていやがったよな」

それでも堀は五代の冗談めかした口調に全く反応しない。

「先生、福沢にばらしたのは確かに大隈参議だと思います。しかし、大隈参議はどうやって開拓使の件を知ったのでしょう。おかしいと思いませんか。開拓使の件を知っていたのは――」

「井上、伊藤、黒田の当事者三名だけだ」

堀を遮って発した五代だが、それでも堀の眼をまともに見ようとはしない。堀がかぶりを振る。断固として振った。

「違いますよ、先生」

堀は容赦なく五代を問い詰めていった。

「もう一人、おられるはずです。開拓使の件を知っていた方が」

「おいだ」と五代は答える。

「この五代友厚も知っちょった」

だがその煽るような口調も、堀には全く通用しなかった。

「先生、わたしがうかがいたいのは」

とどめを刺すように、堀が最後の問いを発した。

「先生が開拓使の件をすっかり話した方がいらっしゃることです。払下げの価格がただ同然なことまで含めて。その方の名をお聞かせください」

いたずらを見つけられた子供のように五代は微笑んだ。

「中野だ」と答える。「中野梧一だよ」と言って微笑んだ。

十七

明治十六年九月十九日の朝、五代は堀を連れて、今橋にある中野梧一の邸宅に来ていた。

五代が中野の邸宅を訪ねるのはこれが何度目だろうか。夜を徹して酒杯を傾けながら、関西貿易社の未来について語り合ったこともある。中野の熱い口調が五代の脳裏でよみがえる。

――五代さんは朝鮮の国内問題が安定しないのを気にしているが、案外これは我々にとってチャンスかもしれんぞ。なぜなら我々は清国への進出をすでに決めているからだ。関西貿易社上海支店の清国貿易が軌道に乗れば、我々の影響力は清国を上国と仰ぐ朝鮮にも及ぶだろう。いまだ緒に就いていない日本の朝鮮進出は我々が担うことになるかもしれない。あのジャーディン・マセソン商会が英国政府の外交方針を動かし、イギリスという巨大国家を清国市場に導いたように。

その関西貿易社もこの三月にあっけなく解散してしまった。北海道開拓使払下げが中止になったのだから、北海道の物産を輸出するために設立された関西貿易社に、いったい何の存在意義が残ろうか。

「神戸港に千トン級の貿易船を係留できる桟橋まで造ったんだけどな」

ぽつりとつぶやかれた五代の独り言が堀の胸を打つ。気付くと五代が堀の脇をすり抜けて先んじていた。その背中を堀は追ったが、五代はいつものように表玄関から入って自分の来訪を知らせようとはしない。誰の案内も乞わずに黙々と庭の植え込みを掻き分けて、邸宅の奥へと進んでいった。

中野邸の庭の景色は、堀も記憶にある。木々の間を抜けて広い芝生に出ると頭上からさんさんと陽光が降り注ぎ、その先の行き止まりに中野梧一の居室があった。芝生越しに眼を凝らしてみたところ、窓の向こうは厚いカーテンで閉じられている。

堀が先に立って歩き出そうとすると、無言の五代に引き止められた。遮るものもない芝生にたたずんだ五代の姿は、あの居室の窓から余すところなく見通せるはずだ。堀の眼に、居室に降ろされたカーテンが、微かに動いたように見えた。

背後の木々でセミが鳴き始めた。ミンミンゼミか。もう九月だ。最後の力を振り絞るような鳴き声が邸宅中に響き渡る。しんと静まり返った邸宅に響き渡る。堀にもわかった。この邸宅には誰もいないと。ただ一人、この邸宅の主人を除いては。

堀が五代を仰ぐ。五代は身じろぎもせずに立っていた。その眼ざしは居室の窓を捉えたままだ。

邸宅を揺るがすセミの鳴き声が、いよいよ切迫してきた。九月になってもなお次の季節を生き延びようと、死にもの狂いに余力を振り絞っている。

北海道開拓使払下げが中止になろうとしていたとき、中野梧一は関西貿易社の存続を図って懸命の働きかけを行っていた。五代には隠して、大隈重信に対して行っていた。開拓使払下げの内幕を福沢諭吉に暴露し、福沢とその弟子たちに新聞紙上で五代友厚を官民癒着の奸商と攻撃させた大隈重信に対して、中野は関西貿易社の存続を運動していたのだ。

ということは中野と大隈は共謀して、北海道開拓使の払下げ先を五代友厚から中野梧一へと変更させようとしていたのではないのか。

当時、堀は不思議でならなかった。中野の動きを知りながら、なぜ五代は中野を同志として扱い続けたのか。

堀の視線が誰もいない玄関先に向けられる。少し前までこの家に目が糸のように細い女中がいた。その女中から逐一、中野邸の内部情報が入ってくる。もっとも頻繁に中野邸に出入りしていたのは藤田伝三郎だという。

最初、この情報を知らされたとき、堀は何の興味も示さなかった。

――そんなことは誰でも知っている。

中野と藤田の関係は有名ではないか。西南戦争で藤田組は中野梧一の総指揮のもと、世間の耳目を集める荒稼ぎをした。二人の師匠と弟子のような関係は、この大阪で知らぬ者もいない。

知らぬ者もいない――当然のように見えた中野と藤田の関係の裏に、その目が細い女間諜が勘付いたのは、初めから二人の関係に疑問を持っていたからである。

――わたし、この眼で見たのです。幕府の長州征伐のとき、あの行商人に化けた背の高いお侍が、熊のような長州人に命乞いをしているところを。「頼むからおれを高杉さんのところへ連れて行ってくれ」と地べたに額をこすりつけて哀願しているところを。

だからその女間諜は中野の居室から聞こえてきた威圧的な声が、中野ではなく藤田のそれであっても、何の不思議も感じなかったという。

それは開拓使払下げをめぐる事態が急転直下していたときだった。政府が開拓使払下げの中止と引き換えに、大隈重信の参議を罷免《ひめん》して政府から追放してしまったときである。

敢えて聞き耳を立てずとも、その藤田の野太い声は女間諜のところまで聞こえてきた。

――中野さん、しくじったね。大隈参議が馘になったんでは、あんたに北海道開拓使が払い下げられる可能性はあるまい。となればあんたが五代さんに取って代わる日は永遠に来ない。ところで中野さん、二年前の贋札事件、あれは中野さんがおれを陥れようとして起こしたんじゃないのか。おれと一緒に検挙された中野さんを疑う者は誰もいなかったが、あんた、検挙されても無傷だった。おれの方は危うく変な牢屋に入れられて消されるところだったけどね。五代さんが助けてくれたよ。あんたは五代さんがおれをかばうのを見越して、おれと一緒に五代さんも今の地位から引きずりおろす腹だったんじゃないのか。中野さんがおれを邪魔に思う気持ちはわかるよ。奇兵隊の土百姓だったおれに、いつまでも命の恩人面されるのが我慢ならなかったんだ。それでもおれは大恩ある五代さんより小悪党のあんたの方を選んだ。恩より金。あんたが商法会議所の会頭になる方が儲かるからだ。でも、しくじったあんたにもう用はない。なに？　まだ逆転の望みがあるって。無理だよ、あんた、生きた五代さんには逆立ちしてもかなわない。生きた五代さんにはな。

あのとき、女間諜の知らせを聞いたとき、堀は安心した、もう中野は終わったと。だがいま急に不安がよみがえってくる。この邸内に満ちたセミの鳴き声の中で、脅かされるような不安がよみがえってきた。

先生、と声をかけたが、返事はない。不吉に感じてその横顔を振り返ってみると、五代は何かをじっと見つめていた。中野の居室の窓だ。其方をじっと見つめて微笑んでいた。

何があるのだ、と眼を細めてみたが、先程から変わった様子はない。相変わらず窓には厚いカーテンが降りている。眼を離しかけたそのとき、カーテンが不自然に揺れて、黒い筒先のようなものが、ちらと顔をのぞかせた。

「銃口だ」

堀が五代の前に立ちはだかろうとしたとき、居室の窓から聞こえてきた。中野の声だ。

「関西貿易社、万歳！」

銃声が轟く。その轟音が吸い込まれるように消え果てたとき、邸内に満ちたセミの鳴き声が力尽きたようにやんだ。

静まり返った邸内で、五代が瞬きもせずに居室の窓を見つめていた。

「関西貿易社、万歳！」

五代も負けずに叫んだ。

十八

堀孝之（壮十郎）はその日、大阪商法会議所に集まった資本家たちを、他人事のように会場の隅から眺めていた。

会頭の席には、すでに五代友厚の姿はない。

明治十八年九月二十五日、五代友厚は死んだ。

糖尿病と公表されたが、多臓器不全に近い症状だったのだろう。

生前、五代は体力が自慢だった。「おいの体には筋金が入っちょる」と吹聴していたくらいだ。

五代が死んでから毎日、堀の胸を疼《うず》かせる光景がある。

文久二年、水夫に化けて上海へ密航したときのことだ。荒っぽい水夫部屋で、五代は喧嘩を吹っかけてきた水夫を拳闘でぶちのめしてみせたが、水夫たちから仲間と認められるためには、腕っぷしのほかにいま一つ強くなければならないものがあった。

酒である。喧嘩と酒、この二つだ。

堀は両方ともだめだった。そのうえ船にも弱く上海に着くまでずっと、船酔いでのびたままだった。

水夫部屋で五代は、他の連中が堀にちょっかいを出すのを決して許さなかった。ちょっとでもなめた真似をしようものなら、そいつの息の根を止めかねない剣幕で迫っていった。だが同じ連中が「ミスター堀にも乾杯」と言ってグラスを差し出すと、五代は必ずこれを受けた。英国人の水夫と同じように、強いラム酒を、絞ったレモンと角砂糖のかけらと一緒に一息で呷ってみせた。何杯でも平気で呷ってみせた。

あのころ寺島陶蔵（宗則《むねのり》）が言っていたことがある。寺島は五代とは薩英戦争でともに捕虜になった仲であり、西洋医学を学んだ医師でもあった。

――あの飲み方は毛唐にしかできぬ。日本人がやれば臓腑を大きく損ねる。

だが五代はあのときも、その後も、数々の西洋人を相手に張り合うような飲み方を繰り返した。

五代が死んだとき、寺島陶蔵も弔問にやって来た。かつてはともに死線を潜った仲だが、維新後はほとんど会うこともなくなっていた。寺島の弔問は儀礼そのもので、そのことをとやかく言う五代の身内もいたが、堀はそれが当然と受け取っていた。

パワー・ポリティクスだよ――と五代はよく言っていた。「権力政治」と訳したのでは、ニュアンスが変わってしまう。英国へ留学生を送り込んだのも、これを学ばせたいからだったのかもしれない。

だが英国留学生のなかには、その意味が根本的にわかっていない者が多かった。文明が進んだ英国が父であり遅れた日本が子である、という儒教的思考から抜け出せない者が多かったのだ。だから父として模範を示すべき英国から、ひどいことをされると、自分は子であると思っていた留学生たちは、ひどいショックを受けてしまうのである。若いころグラバーのビジネスパートナーだった五代のような、ドライな人間関係の免疫がなかった。

堀はふと考えるときがある。もしグラバーやモンブランが、中野梧一のような最期を遂げたなら、五代はどんな態度を取るのだろうか、と。

あの九月十九日、邸内の芝生で銃声を聞いた五代は、淡々と中野が最期を遂げた部屋に入っていった。五代に続いた堀が、室内の静けさに息を呑む。以前と変わらず整然としつらえられた家具調度類が、白く漂う火薬の煙の中で沈黙していた。堀の視線が分厚い絨毯《じゆうたん》の敷かれた床板を這う。ようやく見つけて、堀の視線が止まった。中野梧一が長身を持て余すように、ソファの陰に頭を突っ込む恰好で倒れている。手足も胴体もまだ生きているように綺麗だったのに、目も鼻も元の顔がわからなくなるまで吹き飛ばされていた。近寄ると足元で何かがうごめいた。頭蓋から飛び出た中野の脳味噌が痙攣《けいれん》しているのだと知って、声を上げそうになった堀は五代を見やる。

やはり五代は淡々としていた。しかし五代は中野の死に顔を見ようとはしなかった。

堀にも見せまいとするように、やおら着ていた夏羽織を脱いで、中野の顔に着せ掛ける。たちまち血の色に染まった夏羽織が、虚《うつ》ろに一度二度と痙攣に震えて、動かなくなった。

五代が中野の傍に転がっていた猟銃を拾い上げる。以前、有馬温泉で大久保利通と狩猟をした際、五代が中野に貸したブローニングの銃だとわかった。

堀は中野がこの銃を自殺に使った理由を考えざるを得なかったが、五代は無言のまま拾い上げた銃を堀に押し付けただけである。

「あのとき」

いま、大阪商法会議所の片隅で、堀は誰もいない会頭席を見やって、つぶやいてみる。

——あのとき。

確かに五代はそうつぶやいた。中野の自殺を目の当たりにして。

あのとき——とは水夫として上海に渡航したときのことを指していたのではないか。その先を続けるならば「命を落としていたならば」だ。トイレもない水夫部屋で中野が腹を下し、荒天の海にロープ一本でぶら下がって用を足したとき、そのロープを懸命に支えていたのは五代だった。船酔いでのびていたはずの堀に、突然その光景がよみがえってきた。自分でも見ていたことを忘れていた光景が。

中野の笑顔だ。荒れ果てた海を背景に、その笑顔は輝いていた。五代の引っ張るロープにすがって、ようやく船端までたどり着いたとき、その笑顔は生まれた。命が助かった――と生まれた。

思い返してみて、あれ以上の笑顔を見たことがないとわかったとき、初めて堀の眼に涙が宿った。

会場がざわめいて、一人の男の後ろ姿が、堀の眼に映った。すたすたとかつて五代が座った会頭席へ迫る。当然のように席に付くかに見えたその後ろ姿が、突然に止まった。二、三歩後ずさりして、誰もいない会頭席を拝礼する。

「畏れ多いことです」

朗々と発してその後ろ姿が、くるりと皆を振り返った。

藤田伝三郎だ。

「諸兄、畏れ多いことです。わたしごときが会頭の席に就くなど」

その藤田の顔の神妙なこと。堀の眼に宿っていた涙も、たちまち興ざめして乾いてしまった。

「諸兄、わたくしはいまこの胸にひとつの宿願を秘めております」

藤田が直立不動のまま、会場を埋めた資本家たちに語り出した。

「わたくしの宿願とは、先代、五代先生の宿願でもあったのです」

堀の表情がいぶかしげに変わる。

「諸兄、五代先生の宿願をご存じですか」と藤田は続けていた。

まさか北海道開拓使と関西貿易社のことを持ち出すつもりでは——と堀が眉をひそめたとき、

「地下鉄です」

藤田の野太い声が会場に響き渡った。

「先生は若き日に洋行されたとき、ロンドンで地下鉄に乗られたのです。そしていつの日にか、この日本に、この大阪に、地下鉄を走らせたい、と願を立てられました。地下鉄こそ大英帝国の文明の粋であり、その世界一の文明の力なくしては走らせることができぬものだからです」

堀は藤田に一本取られた気がして苦笑を浮かべた。

——藤田の奴、いったいいつどうやって先生から地下鉄の話を聞き出したのだろう。五代は公の場で地下鉄の話をしたことはないはずだ。下を向いて苦笑を嚙み殺した堀の耳に、途切れることなく藤田の演説が聞こえてくる。

「わたくし、現在、阪堺鉄道を手掛けさせていただいております。日本の鉄道事業はまだ緒に就いたばかり。地下鉄など夢のまた夢です。しかしながら不肖藤田伝三郎、鉄道事業の請負においては、本日お集まりの錚々《そうそう》たる方々にも、引けを取ったことは一度もないつもりです」

だんだん藤田の演説は自慢になってきたが、その主張に誤りはない。もともと藤田は運輸業に強かった。鉄道建設においても、日本の工業力では蒸気機関車どころかレールも自前で造れない以上、何よりものを言うのは土木工事の人足をどれだけ集められるかだ。藤田と藤田組は、これに圧倒的に強かった。

「わたくしの人生で最初の運を開いてくれたのは高杉晋作先生であります」

いまだ続く藤田の演説を聞いて、堀はふと思った。

——やはり藤田だったのではないか。岡田平蔵を消したのは。

藤田もまた高杉晋作の奇兵隊上がりだ。奇兵隊解散後、巷には人の殺し方しか知らぬ輩が、大勢あぶれていた。しかも中野梧一が奇兵隊の地元山口の県令だった。藤田と中野が腹を合わせれば、殺し屋を送り込むのも容易だろう。また運輸と土木に強い藤田は、交通の要地に縄張りを持つ博徒たちを通して、その殺し屋を逃がしたり隠したりすることもできたはずだ。

——だがすべての真相は中野梧一の自殺とともに葬られた。

いまさら暴き立てるつもりは、堀にもない。

「そしてわたくしの第二の恩人、その方こそ、わたくしを実業の世界に導いてくださった五代友厚先生であります」

ここに至って藤田の演説が、急に涙声になった。

「先生、わたくし、必ず地下鉄を走らせて先生の御恩に報いる所存であります」

声を振り絞った藤田伝三郎が、やおら主のいない会頭席を仰ぐ。会場を埋めた商法会議所会員一同を率いるように叫んだ。

「五代友厚先生、ばんざーい」

（完）

◎現代的な感覚では不適切と感じられる表現を使用している箇所がありますが、時代背景を尊重し、当時の名称を本文中に用いていることをご了承ください。
◎本作品は、フィクションです。

五代友厚 ――蒼海《うみ》を越えた異端児

潮文庫 た－1

2015年 9月28日 初版発行
2020年 12月11日 9刷発行

著 者 髙橋直樹
発行者 南 晋三
発行所 株式会社潮出版社
〒102-8110
東京都千代田区一番町6 一番町SQUARE
電 話 03-3230-0781（編集）
03-3230-0741（営業）
振替口座 00150-5-61090
印刷・製本 株式会社暁印刷
デザイン 多田和博

ISBN978-4-267-02033-9 C0193